D1292857

TOUS LES ÂGES ME DIRONT BIENHEUREUSE

EMMANUELLE CARON

TOUS LES ÂGES ME DIRONT BIENHEUREUSE

roman

BERNARD GRASSET
PARIS

Photo de la bande : © JF Paga

ISBN 978-2-246-81362-0

PREMIÈRE PARTIE

« Le théâtre est une attaque portée
à l'humanité, par la magie... »

Iris MURDOCH

1

L'eau dormante du port avait l'élasticité inquiétante d'une grande bâche de plastique sombre ; les vitrines lumineuses, les halos des lampadaires et du feu des chalutiers s'y reflétaient en clignotant. À peine discernables, les guirlandes sèches des hortensias traçaient vers la mer un sentier mystérieux qui s'enfonçait dans la pénombre. L'opacité s'accroissait avec la distance, devenait presque un gouffre. On distinguait au loin pourtant le Rocher du Lion, alangui tel un sphinx au milieu de la mer.

Eva resserra la ceinture de son manteau et se mit en marche. Au même instant le vent se leva, gonflé de pluie, ébouriffant son crâne d'oiseau blond.

En arrivant au bas de la pente, elle s'attarda quelques instants devant la maison en ruine. À l'époque, deux ombres de femme se tenaient à guetter sans relâche dans l'encadrement de leur fenêtre. Eva ne les avait jamais vues qu'à travers les rideaux en crochet, et elle les imaginait, poupées vaudou, piquetées d'épingles et de clous. Sa grand-mère, si courageuse d'habitude, refusait de passer par cette rue.

Aujourd'hui, la maison n'était plus qu'une bâtisse au toit éclaté, aux fenêtres cassées sur toute la façade, bouchées de papier journal.

Eva parvint aux quais, sentit l'air de la marée, et s'en emplit. Elle eut un regard vers la chapelle, tout au bout de la jetée. Des lampions scintillaient contre la façade. Elle attendit le carillon de la cloche annonçant la dernière messe, mais aussitôt elle se souvint qu'on était dimanche. Les mâts tintèrent dans la nuit, en s'entrechoquant.

Elle passa le long des vitrines, des enfilades de bistrots encastrés sur le front de mer, laissant ses regards glisser sur la clientèle. Elle s'arrêta derrière une des vitres, fascinée par la face rougeaude, déformée par l'alcool, d'un homme qu'elle croyait reconnaître. En arrière-plan, elle vit surgir la patronne du fond d'une sorte de trappe, les bras chargés d'une caisse.

Eva prit une cigarette et l'alluma, mais dès la première bouffée, elle s'étouffa. Il lui revint que vers huit ans elle avait pris l'habitude de se glisser dans une cachette située derrière l'escalier de leur maison, un débarras pour les boîtes de cirages et de cire que sa grand-mère entassait avec les bidons de vinaigre blanc et les berlingots de Mir. Eva attendait que Baba soit sortie, ou distraite par une tâche, pour s'y réfugier. Une fois à l'intérieur, elle se coulait contre les parois, immobile, respirant comme une colombe au fond du chapeau d'un magicien.

Sa grand-mère l'avait surprise un dimanche soir et s'était emportée. Eva, extirpée sans ménagement, avait été privée de parole pendant deux jours et la clé du débarras (une minuscule clé d'or) confisquée.

Pourtant, sa grand-mère s'était adoucie en vieillissant. Le visage de Baba avait fini par exprimer une défaite souriante et des absences dans des zones insondables. Sa parole elle-même s'était empêtrée, comme si le français lui était devenu étranger. On la voyait parfois errer sans but, au milieu de sa cuisine, au milieu de ses cages à lapin. Elle portait la main sur sa bouche fatiguée et faisait silence comme on souffle une bougie.

Eva arriva enfin sur le rond-point de la Poste. Elle bifurqua vers la rue Sévellec et parvint devant la grande bâtisse de la maison de retraite. C'était un bloc bétonné peint en blanc, flanqué d'ouvertures lumineuses vitrées, multipliées pour offrir un « lieu de vie ». Eva s'engouffra par les portes-tourniquets et fut saisie par la chaleur.

— Un étouffoir, se dit-elle en retirant son manteau.

Elle ne fut pas surprise de trouver le hall d'entrée désert. Elle s'avança vers le réfectoire et poussa la porte à deux battants.

D'un œil distrait, elle chercha sa grand-mère, sans la trouver. La pluie se mit à battre les grandes baies. La blancheur des éclairages rendait surréels les faces blêmes, le trou des bouches, accusait le nœud des veines, la teinture bleue des chevelures.

— Vous cherchez quelqu'un ?

Une préposée aux sourcils entièrement épilés se tenait devant elle. La voix était forte, pleine d'autorité. Eva rougit.

— Je cherche Ilona Serginski, je suis sa petite-fille.

— Elle n'est pas ici. Elle est restée dans sa chambre, elle était de mauvaise humeur.

Eva rejoignit le hall, hésita un instant devant l'escalier qui menait aux chambres, tentant de se souvenir de l'emplacement de celle de sa grand-mère. Elle sortit des bâtiments et parvint sur la terrasse. La pluie avait lavé le revêtement des murs et du sol. Aucun bruit, sinon le grondement souterrain en basse continue des chauffages dans les chambres attenantes.

Soudain, une voix s'éleva, chevrotante, enveloppée dans l'ombre. Cela venait de derrière, de l'espace situé entre deux bungalows de béton. Eva avança et attendit quelques secondes. Il lui sembla entendre un frôlement. Elle avança encore et heurta une forme recroquevillée dans un fauteuil roulant.

C'était une femme, amoindrie au point de ne plus être qu'un paquet d'os. Dans l'obscurité, le teint paraissait violacé et la bouche sèche était celle d'un grand crapaud.

Tandis qu'Eva cherchait à articuler une question, la pluie reprit en une charge drue qui fit trembler le zinc des toits. Une voiture passa, des phares vinrent éclairer la vieille subitement endormie. Une mouette, dans le ciel, projeta une ombre dédoublée.

Eva recula sous la gouttière pour tenter de se mettre à l'abri. Ses cheveux étaient plaqués en casque par l'ondée et elle avait envie de pleurer.

— Madame ?

La voix d'un jeune homme l'interpellait derrière son épaule. Eva sursauta, puis se retourna. Un garçon pâle, au torse étroit, lui faisait face, exactement à sa hauteur.

Sans attendre, il s'avança vers le fauteuil roulant, frôlant au passage la hanche d'Eva. Un lampadaire s'alluma et la pluie battante se transforma en poudre d'or. Le jeune homme saisit les poignées du fauteuil. Eva recula pour les laisser passer.

— Je m'appelle Sacha. Je vous connais.

Il s'arrêta un instant pour la dévisager.

— Attendez ici.

Il fit rouler le fauteuil jusqu'au seuil d'une des portes du lotissement. Il l'ouvrit en faisant cliqueter un jeu de clés qui ballottait à sa ceinture. Sa blouse blanche avait des reflets phosphorescents. Il poussa le fauteuil à l'intérieur, disparut quelques instants, puis revint presque aussitôt les mains libres.

— Voilà, je suis à vous.

Et il se planta devant Eva, ruisselant et radieux.

— Je cherche…

— Bien sûr. Je vous accompagne…

Le garçon se reprit, semblant se souvenir d'un protocole.

— Si vous le permettez.

Et il baissa les yeux.

— Allons-y, voulez-vous ?

Eva se laissa faire.

2

D'un doigt, Siméon releva une latte du store qui voilait la lumière de sa chambre, pour prendre connaissance de l'état de la tempête. Les vagues grises sautaient par-dessus la digue et se fracassaient sur le granit de la jetée. Siméon lissa la moustache crépue qui, en rencontrant la toison de sa barbe, remontait jusqu'à ses tempes.

Il n'avait pas fini sa séance. Les poids qu'il venait d'utiliser traînaient encore sur la moquette. Siméon souffla, fléchit les genoux et commença une série de squats, les doigts croisés derrière la nuque et le regard pointé sur ses baskets immaculées. Dès qu'il eut achevé, il se jeta à terre pour des pompes frénétiques. Tout son corps était trempé, ses bras tremblaient sous l'effort. Les pointes des pieds raidies, il lança une ultime offensive, un va-et-vient en crescendo dans la vitesse, ponctué de grognements, de bruits de gorge qui montèrent jusqu'à une pure note de désespoir amoureux.

Siméon s'écroula, le visage tordu de douleur. Il se frotta le dos sur la moquette, comme un chien. Puis se relevant, il reprit son poste à la fenêtre.

La tempête avait débuté quelques heures auparavant, en pleine nuit, mais elle ne semblait pas disposée à faiblir. On l'avait perçue d'abord au bruit des bouteilles de bière emportées par le vent, raclant sur le bitume. Errantes, elles dansaient tels des esprits nocturnes un soir de Walpurgis. Toute la presqu'île s'était mise à tinter comme une cloche de verre. À présent, elle grondait et sifflait, pareille à une louve en chaleur. Siméon observa les rafales qui balayaient le quai Toudouze. Les mâts des bateaux grinçaient sous les assauts du vent. L'aube venait tout juste de se dissiper.

Siméon s'éloigna du linteau pour se diriger vers la salle de bains. Son corps était celui d'un homme mûr, épaissi, tout en puissance. Il se dévêtit devant la grande glace fixée sur le revers de la porte de la salle de bains et s'observa. Sa poitrine velue était comme un coffre. Ses jambes et ses bras étaient quatre piliers. Son sexe était là, pendant, en repos total. Siméon le prit au creux de sa paume, s'en remplit les doigts avec une sorte de gratitude. Ce sexe ne durcissait plus, même le matin au réveil.

Il recula de quelques pas, sans quitter le miroir des yeux. Il s'agenouilla puis, joignant les mains, il se mit à prier.

— Sainte Marie, Mère de Dieu, priez pour moi.

Il répéta cette phrase les yeux mi-clos, avec ferveur. Il espérait un soulagement.

Quelqu'un gratta derrière la porte d'entrée. Siméon reconnut la manière de sa vieille bonne. Son dos se raidit. Il se leva, toujours nu, et s'approcha de la cloison. La femme, il le savait, se rencognait comme un oiseau derrière la porte, les épaules bancales et les yeux torves.

— Je me prépare, Henriette. Je serai prêt dans une dizaine de minutes.

Silence.

— Henriette ? Vous êtes derrière la porte ?

— Vos rendez-vous sont déjà là, mon Père.

Siméon retint un soupir d'exaspération.

— Je vous l'ai dit, je me prépare, je descendrai dans une dizaine de minutes, faites patienter les visiteurs.

Silence. Il guettait l'instant où Henriette s'éloignerait. Mais la vieille femme semblait vissée au sol.

— Je descendrai moi-même le plateau du petit déjeuner. Vous pouvez…

Siméon se tut. Il savait qu'il était inutile de lutter.

Quand il sortit de sa douche, encore fumant, il esquissa un geste de peintre pour nettoyer la glace. Il se vit sur la surface vérolée par les résidus d'humidité. Sa face ronde d'ours noir, ses paupières tombantes lui donnaient cet air de bonté qui convenait à son exercice. Mais une chose était sûre. Il ne faisait pas le poids, il ne ferait jamais le poids. L'épreuve était surhumaine.

Il se sécha, enfila un pantalon noir, un pull-over et fixa le col blanc dit « romain » juste derrière le premier bouton de sa chemise. Il s'approcha de son bureau, posa les lèvres sur le crucifix très simple, en bois de noyer blond, et l'embrassa. Enfin, saisissant sa bible, il sortit de son petit appartement. Dehors, le vent continuait à siffler.

Ce que l'on sait de la vie de Siméon Gnonlonfoun ne débute pas au Bénin, comme son nom et son acte de naissance trafiqué pourraient le faire penser, mais dans les entrelacs sombres de la forêt équatoriale profonde, au cœur du pays Fang. Ce fut là, dans ce coin reculé, qu'on le découvrit, encore enfant, errant seul, le ventre gonflé par la faim, les jambes et les bras maigres et durs comme ceux d'un squelette. Dans ses cheveux crépus, une longue traînée de sang coagulé.

La scène parut sidérante aux deux chasseurs qui tombèrent nez à nez avec lui. Le premier s'appelait Philémon et le deuxième Egisthe. Deux hommes, des pisteurs athlétiques, rompus aux périples dans les milieux hostiles, traquaient les bêtes de très loin, les tuaient de leur fusil avec une précision redoutable. Chaque fois qu'une bête abattue se laissait tomber des frondaisons, ils se signaient et s'oignaient d'un suc qu'ils appelaient « médicament ». Egisthe transportait la substance dans un exemplaire des *Pensées* de Blaise Pascal, évidé pour servir de coffret.

Quand ils virent l'enfant, ils crurent croiser la Mort en marche. Et en même temps, l'aura jaunâtre qu'il dégageait était celle d'un saint. Aussi eurent-ils le réflexe de poser un genou à terre, pour saluer l'apparition.

Les deux hommes décidèrent de le ramener à Oyem, le chef-lieu. Ils ne prononcèrent pas une parole durant le trajet. Philémon prit le petit dans ses bras et constata qu'il pesait moins qu'une plume. Ils lui donnèrent une liane juteuse à téter. En passant près d'un point d'eau, ils le baignèrent. Le sang se dilua. La poussière fut rincée. Le visage du petit retrouva sa splendeur.

Une fois rendus, ils le laissèrent sur le seuil de la mission des Femmes (« Rosaire du Saint Nom de Marie »), sachant que la vieille nonne blanche qui servait de tourière à la petite communauté ne tarderait pas à le recueillir. L'enfant trouvé fut baptisé Siméon, du nom du fils de Jacob et de Léa, et placé parmi la cohorte des bambins abandonnés et confiés aux soins du Seigneur. Siméon ne parlait jamais, mais son regard était vif et bienveillant. Mutique, il se coula d'autant mieux dans la discipline du lieu.

Siméon se souvenait-il aujourd'hui de cette période ? Quand il l'évoquait, seules quelques images confuses, mais très belles, lui revenaient.

Un peu plus tard, une famille de caciques béninois adopta l'enfant rêveur. Les nonnes furent surprises de voir qu'on le choisissait. Elles s'attendaient à le garder pour toujours, à en faire un bedeau *ad vitam*. En voyant s'approcher la femme qui deviendrait sa mère, Siméon se sentit livré au Diable.

— Mon Père pardonnez-moi, car j'ai péché, murmura l'ombre.

Siméon, replié sur lui-même dans la minuscule cage du confessionnal, cherchait à entendre ce que chuchotait la femme blottie contre la paroi mitoyenne.

Les rafales de vent sifflaient comme la sirène d'un train et s'éclaboussaient sur les vitraux de l'église. Siméon ne comprenait rien. Il avait fait répéter déjà certaines phrases (sans plus les entendre que la première fois) et il sentait que ce n'était plus la peine. Mais il avait le devoir de persister dans l'effort.

À vrai dire, le sacrement de réconciliation n'était pas un service fréquemment sollicité par les paroissiens d'ici. Siméon donnait l'hostie dominicale à des gens qu'il savait noirs de péchés. Adultères, batteurs d'enfants, avaricieux, crapules aux physionomies multiples. Mais qu'y pouvait-il ? Les chasser avec un fouet de corde, hors des murs, comme les marchands du temple ? Qui était-il pour juger, de toute façon ? Lui-même avait eu maille à partir avec des souillures de toutes sortes.

Siméon dégagea un bras pour frotter ses yeux secs. Avec lassitude, il replaça ses lunettes. De quoi était-il question, bon sang ? Derrière la croisée, le visage de la femme était strié d'ombres. Siméon ne parvenait même pas à se souvenir de son nom. Il le connaissait pourtant. Mais le vent, la tempête hurlante au-dehors, le courant d'air glacé qui s'infiltrait, s'enroulant à la chaleur moite montant du réchaud (réglé par Henriette, l'instrument était un véritable outil de torture), tout concourait à le dérouter.

Tout à coup, une chaise au loin racla le sol de granit et Siméon sursauta. La perspective de servir la messe encore une fois, de s'en sentir indigne jusqu'au plus profond de son être, l'accablait. Dans moins d'une heure, il donnerait aux fidèles un pain qui n'aurait pas été consacré, un pain faux comme lui.

À la vérité il lui arrivait de penser que malgré toute son énergie, toute sa ferveur, il n'avait jamais fait, depuis qu'il avait été ordonné prêtre, que le travail du Diable. C'était cette tempête, sans doute, qui lui vrillait les nerfs.

Il ferma les yeux.

Il revit les orages qui éclatent en Afrique, quand la nuit est tombée et que le ciel s'étend comme une grande toile photographique. L'obscurité phosphorescente s'imprime des plumes noires du feuillage des palmiers. Tout à coup, les nues se crèvent, se blessent de filaments électriques, crépitent comme un paquet de nerfs incandescents. Et la pluie tombe, réduisant tout à néant.

Siméon écouta le vent hurler. Décidément, il se sentait incapable de servir cette messe.

Siméon Gnonlonfoun rencontra sa « nouvelle mère » dans le petit réfectoire de l'orphelinat. Il était attablé comme d'habitude devant sa boule de foufou. La femme lui apparut d'emblée gigantesque.

Marie-Michelle Ekwongo avait épousé Darius Gnonlonfoun l'année de ses vingt et un ans, elle était ce qu'on appelle un « premier bureau », soit une « première épouse ». Riche industriel dans le milieu de la voiture d'occasion, Darius frayait dans les hautes sphères et dilapidait sans temps mort. Marie-Michelle, encore adolescente, avait été préparée à prendre ce chemin matrimonial stéréotypé. Dès le lendemain des noces, organisées par son père, lui-même membre éminent de la principale banque locale, elle se rasa les sourcils, se dessina un masque de courtisane et se mit à dévorer le beurre de cacahuète à même le pot. Ses fesses déjà considérables s'accrurent en très peu de temps. Elle adopta la couleur rose comme emblème, jugeant que cette teinte éclatait sur sa peau d'un noir profond et la rendait irrésistible. Dans le même temps, son cœur se mit à fomenter une ambition criminelle, dont Siméon ne devait comprendre que bien plus tard les tenants et les aboutissants.

Ainsi apparut-elle ce jour-là en face du jeune Siméon. Celui-ci ne se détourna pas d'abord de son assiette. Sa première impression fut sonore. Il entendit la voix de Marie-Michelle s'exclamer dans une langue qu'il ne reconnaissait pas. Puis il releva la tête et posa sur l'apparition un regard filtrant à travers ses longs cils.

Elle avait l'air d'un monstre. Ses ongles de pieds étaient longs, laqués de fuchsia dans ses sandales dorées. Son tailleur ajusté et trop court laissait déborder ses fesses et ses seins. Ses cheveux, lissés avec un grand soin, tombaient en mèches raides.

Siméon fit ses adieux aux nonnes pleureuses, qui se passèrent l'enfant comme un ballon, puis il prit place aux côtés de l'inconnue sur les sièges en cuir mauve de la limousine.

Du trajet entre les deux pays, une partie se fit par bateau. L'embarquement eut lieu à Libreville. Sa mère lançait des ordres indiscutables, sans élever la voix. Elle n'adressa pas la parole à l'enfant, mais lui sourit à plusieurs reprises.

Au bout d'une semaine, Siméon fit ses premiers pas dans la maison familiale et rencontra les domestiques. Il fut installé dans la chambre aux boiseries et dès le soir, un orage éclata. Siméon le contempla, puis s'endormit.

Siméon s'étira, presque immobile, dans le confessionnal. La femme avait-elle terminé ? Un mouvement derrière la cloison lui indiquait que l'on attendait une réponse.

— Alors mon Père ?

Siméon secoua la tête. Que pouvait-il lui dire ? Il tenta, sans conviction :

— Cinq Ave Maria...

— Mon Père, vous ne comprenez pas, prononça la femme en haussant le ton.

Elle pleurait.

— Je suis venue vous demander de m'accompagner. Maintenant que vous savez, il faut aller là-bas. On m'a dit que vous parliez cette langue...

Elle ne finit pas sa phrase, jugeant sans doute inutile de le faire. Au bout d'une dizaine de secondes, Siméon lança :

— Ma fille... L'office va commencer. Je ne peux pas m'absenter.

Il y eut de nouveau un long silence. Le froissement d'un manteau.

— Alors après l'office ?

Siméon ne répondit pas, il était en train de s'extraire de sa boîte. Quand il eut retrouvé sa liberté de mouvement :

— Sortez, ma fille.

Il fallut une minute entière pour que la silhouette haute s'extirpât à son tour, minute ponctuée de gémissements endoloris, de coups de coudes et de pieds résonnant sur le bois foncé du confessionnal. Siméon eut soudain l'impression d'attendre l'éclosion d'un monstre marin. Enfin, la forme se dégagea et apparut devant Siméon avec la splendeur ébouriffée d'une sirène vieillissante.

Haute de taille, très mince (les épaules un peu rigides sous un manteau qu'on eût dit avoir séjourné longtemps dans les cales d'une épave de paquebot), des bras et des jambes longilignes, et dégageant une impression de vitalité, malgré une évidente *aura* saturnienne.

Le visage creusé était celui d'une femme d'une quarantaine d'années, mais le regard brillant de larmes et les vifs mouvements du cou, la mobilité de la tête à présent tournée vers lui, révélaient une réelle juvénilité.

Siméon fit un pas en arrière, comme repoussé par un courant marin. Il distingua alors les cheveux blonds, en masse moutonnante. Il recula encore, pour mieux fixer l'étrangère. Les yeux, de ce bleu sans mélange que l'on appelle « bleu du ciel », s'ourlaient de rouge.

Au moment où il allait ouvrir la bouche, il fut interrompu par la voix d'Henriette, lui parvenant de derrière un pilier du transept.

— Mon Père, l'office va débuter. J'ai repassé votre aube, l'étole est recousue. Il faut vous préparer.

Ils eurent un frisson synchrone.

— Ah ! Il faut vous préparer, répéta la femme, les sourcils pâles haussés au maximum. Après l'office alors ?

Siméon acquiesça d'un signe de la tête. Il allait s'en aller, mais il ajouta :

— Assisterez-vous à la messe, ma fille ?

— Je ne crois pas en Dieu, mon Père. Je vous l'ai dit.

— Répétez-moi votre prénom.

— Je suis Eva. Eva Serginski.

Siméon s'éclaircit la gorge. Puis réfléchit en silence.

— Aujourd'hui, ce n'est pas possible. Il faudra attendre... Je ne comprends pas bien le caractère d'urgence de...

— Je ne sais pas encore si c'est urgent. Je pense que ça l'est, que c'est très urgent. Mais je voudrais surtout en avoir le cœur net. Ma grand-mère, Ilona Serginski, me cache quelque chose et je ne veux pas qu'elle meure avant d'avoir pu la comprendre. Je reviendrai vous chercher. Et vous m'accompagnerez, n'est-ce pas ?

Le prêtre hocha la tête. Il avait gagné du temps et dans l'intervalle de leur prochaine rencontre, il aurait bien l'occasion de se ressouvenir de ce que cette femme venait de lui confesser. Sans doute quand la tempête se calmerait, son esprit en ferait autant. Et se dilueraient les présages absurdes.

3

Ilona reposa son PSM nettoyé et sa cartouche de 5,45, sur la table de sa petite cuisine. Elle contempla son arme, tout en rajoutant un peu de vodka dans sa tasse de café. D'une main experte, elle refit son chignon, qu'elle fixa sur le sommet de son crâne. Ilona s'était levée à l'aube après une nuit blanche.

Elle vida d'un trait sa tasse et se signa de droite à gauche, puis embrassa le chapelet de perles bleues enroulé à son poignet. Il était encore trop tôt. L'office ne commencerait pas avant une heure dans le petit local du sous-sol alloué aux rites orthodoxes.

Aujourd'hui tout particulièrement, un moment de prière et de communion lui serait précieux.

Qu'allait-elle faire de Mina pendant ce temps ? Ilona fixa le vide quelques instants, puis trancha à contrecœur. Il fallait se résoudre à l'enfermer à double tour pour éviter tout accident durant son absence.

Ilona porta la main sur son sein, là où la lettre qui la rongeait reposait dans un repli de sa chair blonde, coincée sous une résille de dentelle noire. D'un geste brusque, elle délogea le papier plié en quatre.

17/11/ 37/ Tuepc/22.M.O

Elle replia la missive. Ilona connaissait les usages, elle ne pouvait pas se méprendre sur le code qui demeurait inchangé depuis ses années de service auprès de Gleb. L'inscription sèche correspondait à une date, à une adresse et à une heure. 17 novembre, 37 rue Thiers, 22 heures. Une convocation.

M pour Mina, O pour Odna. Seule.

Gleb les avait retrouvées, il exigeait un rendez-vous. Pourquoi Mina seulement ? Il ne pouvait ignorer qu'Ilona ne laisserait jamais sa fille le rencontrer sans protection. C'était à l'évidence une provocation, une farce cruelle, typique de Gleb. Elle n'avait pas encore eu le courage d'en parler à Mina, sachant ce qui s'enclencherait. Pourtant elle n'avait pas le choix. Mina devait être mise au courant.

Ilona recula. S'agissait-il de l'enfant de Mina, cette petite fille que Gleb retenait en otage depuis leur fuite ? C'est ce que Mina s'imaginerait en tout cas... Dès qu'elle aurait connaissance du message, elle exigerait d'aller à sa rencontre, Ilona ne pourrait jamais l'en empêcher. Mais connaissant Gleb, pouvait-il s'agir d'autre chose que d'un piège ?

Toutes ces questions étaient vaines, Ilona savait qu'elle n'aurait aucune réponse avant de revoir Gleb et que quoi qu'elle ait imaginé, la vérité la confondrait.

Ilona jeta un coup d'œil à son PSM, posé à plat sur la table de la cuisine et luisant sous le rayon qui perçait de la vitre. Elle saisit une cigarette, qu'elle fuma debout devant sa fenêtre.

Dehors, des traits de pluie s'abattaient sur le jardin, giflaient les pétales. Ilona consulta sa montre. Il était temps de se préparer.

Alors qu'elle se retournait, son regard fut arrêté par une image pieuse représentant le visage de Marie. Couronnée d'or, la Vierge serrait au plus près de sa joue l'Enfant Jésus. La petite main du Christ était accrochée à son voile. Une mandorle les unissait dans un mouvement de tendresse rougeoyante. Ilona la contempla un instant.

Tu me comprends, n'est-ce pas ? Tu sais pourquoi je fais tout cela. Moi aussi j'ai décroché mon enfant de la croix. Moi aussi je l'ai vu revenir des morts.

Elle se dénuda devant l'icône, en laissant à ses pieds sa robe de chambre bleue, puis s'éloigna vers la salle de bains.

Tandis qu'elle marchait vers l'église, le vent s'enroulait à ses chevilles et remontait jusqu'à sa chevelure sanglée sous son fichu. Un peu auparavant, elle s'était rendue jusqu'à la chambre de Mina. Elle avait contemplé sa fille endormie. Quand elle dormait, Mina n'était plus défigurée, elle retrouvait la pureté de son enfance. Ce n'en était que plus douloureux. Enfin, Ilona était sortie en poussant le loquet.

Mina n'était pas autorisée à sortir seule, à se déplacer librement depuis sa fugue tragique de Marseille, où les deux femmes vivaient alors. Des règles strictes étaient nécessaires, pour se protéger. De qui ? D'elle-même autant que de Gleb.

Ilona marchait à présent dans les rues désertes, ces rues à peine plus larges que la carrure d'un tonneau rempli de sel. Toute à ses pensées, elle faillit trébucher sur les dalles glissantes, et se rattrapa à un muret couvert de lierre et de mousse. Elle s'adossa un moment. Elle ressentait un vertige étrange, au-delà de sa colère habituelle, celle qui s'agriffait en elle depuis qu'à Londres elle avait délivré Mina de l'emprise de Gleb.

Ilona ferma les yeux et revit en une seconde les ruches vides qui entouraient la datcha familiale, dans les environs de Kostroma. Elle revoyait les ruches de son père, au fond de la clairière de bronze. Et cet été où toutes les abeilles étaient mortes, sans explication. Leurs cadavres de fourrure s'étaient amoncelés aux portes du refuge qu'elles n'étaient jamais parvenues à atteindre.

Avec sa sœur Séraphina, Ilona avait ramassé les minuscules corps, soleils pelucheux, puis elles en avaient fait des colliers, des colliers d'abeilles mortes.

La famille d'Ilona Serginski, issue d'une lignée de popes qui se perdait dans les replis de l'Histoire russe, puis soviétique, s'était forgé une « longue habitude du malheur ». Le récit de Varlam Timoteev, le père d'Ilona, en était l'emblème. Il était né dans une maison entourée de planches, à Klubnika, un village situé dans la banlieue de Sharya, ville phare du district de Iaroslav.

Son père était alors un religieux respecté, qui faisait claquer ses palmes ruisselantes d'eau bénite sur les pécheurs, les jours d'office. On le voyait courir, silhouette haute dans sa robe noire, le long des chemins poudreux, en véritable soldat de la Foi. La mère de Varlam, prénommée Nastia, avait des cheveux roux flamboyants et, toute jeune encore, un visage frais étoilé de taches de son, qui semblait toujours chiffonné de sommeil. Elle tuait le poulet de ses propres mains, savait le plumer et le cuire, maniait la hache et le soc des charrues, remplissait des seaux de framboises, ramenait l'eau du puits. En cachette de son mari, elle fabriquait aussi de petites poupées enroulées d'étoffes rapiécées, qu'elle constellait de clous rouillés et fourrait de semences, de crin d'animal et de poils pubiens. Ces poupées, arrosées de potion et placées sous un oreiller, allégeaient certaines maladies. Les femmes du village et des environs la connaissaient bien, venaient la chercher pour des rougeoles, des oreillons, des douleurs de parturiente, mais aussi pour des ennuis sans cause et des chagrins d'amour trop violents. Les hommes méprisaient ce trafic, qu'ils jugeaient de loin plutôt inoffensif.

Nastia avait accueilli avec une joie intense, mêlée d'une tristesse étrange, ce petit Varlam rose et blond, potelé à souhait, et elle lui baisait les joues et le corps chaque fois qu'elle le pouvait. Elle enfouissait son visage au fond du panier de langes et de dentelles, encore et encore. Elle le trouvait si beau, gisant d'argile claire, la transe d'amour était si forte parfois qu'il lui venait des idées qu'elle ne contrôlait pas, et dont elle se demandait si elles n'émanaient pas du Malin. À cause de sa beauté, elle avait envie de presser sur sa petite cage thoracique jusqu'à faire exploser ses poumons, ou de porter ses lèvres sur les siennes tandis qu'elle lui boucherait les narines. Elle contemplait l'enfant qui lui souriait, puis se jetait sur lui pour l'embrasser, en proie à une soif fiévreuse. Elle lui donnait le sein, la corolle de son sein, et le petit tétait le lait qui en coulait en abondance, par jets chauds et parfumés. Nastia expérimentait un vertige inconnu jusqu'alors, le chatouillement d'une extase.

Elle n'eut pas le temps de démêler ce qui dans ses pensées et dans ses sensations provenait du Démon ou de la Nature, elle fut assassinée dès les premiers jours de la guerre civile, par deux « Blancs » en perdition, paumés dans la région et à moitié morts de terreur. Lâchés par leur commandement après une embuscade où presque toute leur compagnie avait été massacrée, ils avaient fui la zone des combats et avaient demandé asile à l'habitant. Les bottes et la kurtka boueuses, maculées de restes de cervelles humaines et de débris de poudre, ils avaient frappé à plusieurs portes, de toutes leurs forces, de leurs poings et de leurs pieds. En désespoir de cause, ils étaient tombés sur Nastia qui lavait du linge dans la cour de sa maison. Le père de Varlam était sorti pour une bénédiction. Elle était seule avec l'enfant, qui dormait dans son panier après son dernier repas de lait. Nastia tremblait encore de joie et de tendresse.

Quand ils la découvrirent, au fond de son labyrinthe de planches, les jupons relevés sur ses cuisses blanches, une sueur luisante couvrant sa gorge et scintillant comme une guirlande de soleil, elle leur parut une Danaé moderne, le corps offert et les fesses écartées tout justement pour recevoir leur longue pluie d'or. Les deux soudards, qui venaient de voir la mort en face, s'aveuglèrent de la beauté alanguie de Nastia, et en même temps conçurent le désir impérieux de la détruire.

Elle ne les remarqua pas tout de suite. Ses mains plongeaient dans le baquet d'eau savonneuse, traçaient des cercles sur la surface d'écume. Soudain, elle les vit et eut le réflexe absurde de repousser sa jupe longue au bas de ses pieds. Le baquet se renversa. Eux s'approchèrent en silence. Nastia se releva à la hâte, prit le couffin et courut à l'intérieur de la maison. Elle posa le panier sur la couche conjugale, jeta un regard à son enfant, lui caressa la joue une dernière fois. Peut-être devait-elle le tuer de ses propres mains tout de suite, avant que ces soldats fassent d'eux ce qu'ils voulaient ? Mais de cela elle n'avait pas la force. Le châtiment n'était que pour elle, de toute façon. Elle rejoignit les hommes dans la pièce commune où ils s'étaient installés. Ils la regardèrent s'approcher. Une bougie brûlait sur la table, à côté d'un vase orné de fleurs sauvages. Nastia les avait cueillies le matin même. D'un geste de la tête, elle leur montra la hache. Le plus grand comprit et sourit. Sa face cuirassée de poussière de cendre et de désir mauvais s'éclaira.

Quand Timotei Alexevitch, le père de Varlam, revint de sa course, au coucher du soleil, il trouva le corps de Nastia couché sur le bois de la table renversée. Son ventre était labouré, retourné comme un gant rempli de sang. Le sexe ressemblait à un œil arraché. Une colonne de fourmis s'y frayait un chemin, allait et venait en ordre, suivant la cordée translucide, le pont de sucre et de cire qui recouvrait de son glacis les éclaboussures de la grande plaie. Nastia n'avait plus de visage, mais sa bouche agrandie laissait entrevoir un œuf entier coincé au fond de la glotte. L'enfant, affamé depuis le matin, pleurait dans le fond de la maison. Timotei demeura pétrifié, sa calotte entre les mains. Il ne dit pas un mot. Dans sa poitrine naissait une prière d'abandon.

Gospadi pomilos, gospadi pomilos... Prends pitié Seigneur prends pitié...

Enseigne-moi tes voies, Seigneur tout-puissant, je ne comprends pas.

Sa carcasse d'homme mûr s'affaissa. Les genoux à terre, il glissa sur le sol. Il ne mourut pas. Son esprit altéré reçut la visite d'un ange dont il ne connaissait pas le nom. L'envoyé céleste portait de longues ailes multicolores qui traînaient sur le sol, son visage anguleux semblait sculpté dans un marbre et fixait Timotei de ses yeux, qu'on aurait dits maquillés de khôl. Ses pieds étaient nus.

Tu veux savoir le grand secret ?

Timotei ne répondit pas.

Je vais te le dire. Mais ne le répète à personne. Dieu est impuissant. C'est ça la vérité. Le Dieu que tu adores ne fera rien pour toi, ni pour aucun des hommes qu'il a créés, et pour qui il a créé ces forêts, ces lacs, ces vallons et ces bêtes. Même s'il le souhaitait. Le monde ne lui appartient pas. Ses mains sont vides et ne lui reste que la conscience amère de sa débilité. Relève-toi. Prends le cadavre de ta femme, jette-le sur un tas de fumier sans holocauste. Mets-y le feu. Emporte ton fils. Va, lève-toi.

Timotei fit ce que l'ange avait dit, et quitta Klubnika à jamais. Il arracha ses colifichets de pope, prit un habit occidental, sa pelure d'homme nouveau et, emportant dans ses bras le bébé, il s'enfonça dans la multitude et l'anonymat. Il s'installa à Leningrad, devint cordonnier et vécut en concubinage avec une femme qui lui rapportait les gages de ses nuits. Il connut « l'huile de foie de morue des fanaux de Leningrad », l'odeur funeste de jaune d'œuf et de goudron, les descentes des gardes, les délations, les combats de tous les jours. Il s'endurcit presque jusqu'à ce que la corne matérialiste recouvre son âme.

Mais certaines nuits, tandis qu'il attendait Glacha, sa nouvelle épouse et sa gagneuse, et que les images de Nastia, morte sur la table, tournaient en cercle au-dessus de ses rêves avec la lenteur de vautours, il sentait poindre l'aiguillon d'une prière ricaneuse, qu'il passait des heures à abattre à coups de hache. Autour d'eux, la Révolution coulait comme un fleuve de miel émeraude, que tétait la grappe de millions de guêpes tueuses. Timotei devint squelettique. Penchée sur les chaussures à rapetasser, sa silhouette semblait celle d'une poupée de chair, animée de fils invisibles. Il parlait avec la voix nasillarde des morts.

Varlam, lui, s'élevait dans les cercles d'influence de la rue. Il grandit dans la dévotion de Lénine, puis de Staline, et la haine de Trotski. Il portait un costume cravate élimé sous sa pelisse d'enfant, jouait de l'harmonica sous les porches, la mélodie des mouchards en planque. Il fréquentait les amies de sa belle-mère, qui l'initiaient à de ternes jeux sexuels. Vivait de combines, s'acoquinait aux truands. L'une de ces manigances devint sa spécialité, elle consistait à se procurer du riz sain, à le lester d'eau avant son chargement dans les camions de fourniture (quitte à le laisser croupir dans un jus rance) pour l'alourdir et toucher davantage de primes du commissaire aux approvisionnements. Il fut tatoué, deux fois, et baptisé du sang d'un innocent, à l'aube de ses seize ans. Ses cheveux noirs en bataille et sa bouille d'ange sale recueillaient les suffrages des filles, sans trop d'effort.

À dix-sept ans, donc, il était un bandit, ni vraiment craint ni même encore respecté par le Milieu, mais assez audacieux pour y tenir sa place. Il était un de ces parasites nécessaires, fort en gueule, violent avec les faibles et lâche avec les forts, qui pullulent dans les rangs inférieurs des organisations criminelles. Il traînait sa dégaine de gavroche sur les ponts et toisait avec mépris les passants, ces pauvres bougres qui ne connaissaient rien.

C'est à cet âge où il se croyait le plus endurci, le plus inaccessible à la sentimentalité bourgeoise, qu'il reçut la grâce d'un amour absolu, qui le rattacha au fil tragique de son enfance et l'inscrivit dans la lignée véritable de son sang.

Cette femme s'appelait Yeva et elle avait les cheveux roux.

Son unique rencontre avec elle eut lieu un soir de juin 1933, dans un cabaret de la rue Strakh i Lioubov, à la lueur d'une lampe à huile. C'est là qu'elle travaillait, il était entré par hasard. Il s'assit sur la banquette de bois et croisa son genou haut sur ses cuisses, avec le dédain des affranchis. Il commanda d'abord du bortsch, une cigarette roulée au coin des lèvres, et ne la remarqua pas. Quand elle lui apporta l'assiette creuse, remplie d'une eau violette où flottait un morceau de pain, il leva les yeux et la vit.

Elle se tenait debout, le corps très mince, vêtue d'une robe à fleurs, les cheveux retenus par des épingles en un chignon opulent et lustré, presque bicolore, entre le blond jaune et le rouge carmin. Sa beauté n'impressionna pas Varlam à première vue, lui qui s'était si bien habitué à d'autres charmes. Pourtant, quand elle lui sourit avant de baisser les yeux (dans une expression où se lisaient à la fois une sensualité bridée et une terreur d'oiseau piégé), il fut tenté de saisir cette main blanche et non baguée qui s'était attardée sur le rebord raboteux de la table, et de serrer dans sa paume ces doigts fins comme des plumes. C'était une question de peau, celle de cette femme (c'était son seul, mais magnifique atout) avait une pâleur de nacre, ponctuée, sur la gorge et le cou, d'une rougeur translucide. La lumière était basse et on ne distinguait pas la couleur de ses yeux, les contours peu nets du visage. La rousseur baroque des cheveux elle-même n'apparaissait qu'au gré des mouvements de la flamme de la lampe. Mais la peau, elle, avait un éclat irrécusable. L'intérieur soyeux d'un très beau coquillage, voilà ce qu'elle évoquait. Quelque chose de secret et de moiré, merveilleusement luxueux. Varlam imagina ses seins et l'intérieur de ses cuisses, qui s'ouvraient sur le présentoir de beaux draps blancs. Quand il fut atteint par cette image, Varlam se redressa à demi et écrasa son mégot sur le sol de terre. Il porta sa main sur la braguette de son pantalon, comme pour tâter une blessure. Une expression d'agressive incrédulité plissa son front. Il voulait mieux voir, voir encore. Tandis qu'elle restait encore immobile, dans l'attente d'un ordre, un petit enfant qui venait d'apprendre à marcher vint la rejoindre en titubant.

D'où sortait-il ? Varlam aurait été bien en peine de le dire. Au moment d'atteindre la jeune femme, le bambin parvint à s'accrocher à son jupon. Sa tête, disproportionnée par rapport au corps, était couverte d'un duvet blond. Il était vêtu de noir. Les yeux s'ourlaient de paupières cernées et bombées. Aussitôt, la jeune serveuse le hissa jusqu'à sa hanche. Varlam n'osait rien dire. Il contemplait l'enfant et celle qui l'entourait à présent de ses bras nus. Le petit posa sa main sur la gorge et se mit à en caresser la peau.

— *Kak tibia zavout ?*

Silence. Le bébé enfouit ses cheveux contre la clavicule. Dans un souffle, elle répondit :

— *Minia zavout Yeva.*

Elle sourit. Varlam recula.

Ce sourire, tout soudain, fut un coup de dague.

— C'est ton fils ?

— Oui.

— Il s'appelle comment ?

Yeva n'eut pas le temps de répondre. Le patron lança depuis les cuisines une injonction sans appel, dans un jargon bien injurieux. Varlam serra les poings comme il en avait l'habitude chaque fois qu'il avait envie de cogner. Mais, à la vérité, il aurait été incapable de se lever pour régler son compte à ce salaud d'aubergiste. Il était aussi cloué qu'un chat à la moelle brisée. Yeva s'éloigna donc, le gamin virevoltant d'une hanche à l'autre. Elle posa le bébé sur une banquette et se dépêcha de servir d'autres clients.

Varlam demeura seul. De son siège, l'enfant assis le dévisageait. La pénombre donnait à ses yeux fixes l'aspect de pierres sombres. Varlam soutint un moment son regard, puis se tourna vers Yeva. Quelque chose de coléreux montait en lui, le pullulement d'une haine qu'il ne savait pas par quel bout prendre. Que haïssait-il en cet instant ? Varlam se contenta de regarder Yeva aller et venir, en la sondant d'un œil ébloui par la consternation et le désir.

Varlam tâcha de se reprendre. Il avait peur d'être effrayant. La pratique de la délation atteignait alors des sommets. Des citoyens disparaissaient tous les jours, certains pour avoir enveloppé par distraction des denrées ou des pots de fleurs dans un papier journal imprimé du portrait de Staline. Ils étaient dénoncés par leurs voisins, leur famille, ou même de parfaits inconnus, et dans un claquement de doigts étaient emportés sans retour. La foudre politique frappait aveuglément le sol et carbonisait de pauvres êtres, les réduisant à de petits tas de cendres dont le vent fou se chargeait d'effacer les traces. Elle aurait eu raison de se méfier de lui. Après tout, il était une petite ordure sans foi ni loi. Tout à fait le genre à moucharder. Il l'avait déjà fait, bien sûr. Oui, elle ferait mieux de se méfier.

Yeva revint le voir à sa table pour lui proposer du pain, un petit gâteau, de la vodka. Il refusa tout d'un geste, sans dire un mot. Le temps passa. L'enfant s'endormit sur la banquette. L'établissement se prépara à fermer. Yeva circulait, replaçait une chaise, vidait un broc, rapportait les couverts sales dans l'arrière-cuisine. Elle trouvait encore le courage de saluer ceux qui partaient. Quand elle fut prête à son tour, elle s'approcha de la banquette où dormait son fils. C'est à ce moment que Varlam se manifesta.

— Vous permettez ?

Yeva recula, la rougeur sur sa poitrine s'étendit jusqu'à la racine du cou.

— Vous voulez ?

Elle prononça ces mots avec une simplicité très lasse. Son visage marquait une grande fatigue.

— Oui, je voudrais bien.

Et Varlam prit l'enfant dans ses bras.

Ils marchèrent dans la nuit, côte à côte, dans un silence total. Varlam palpait la consistance d'agnelet de l'enfant, la bouillotte mouvante de ses fesses et de son dos. Pris d'une tendresse folle qu'il cherchait à cacher, il éprouvait ce petit corps contre le sien, le modelant sur son torse à lui. Varlam haletait de joie, à présent. Profondément endormi, le petit sortit une main engourdie et l'agita en mimant le geste de cueillir une orange. Yeva éclata de rire, Varlam constata que deux de ses dents se chevauchaient. Ce détail accrut encore sa joie.

Pendant quelques secondes, ils se baignèrent dans le poème d'un temps suspendu, parenthèse saupoudrée d'une pluie de tungstène. Ils oublièrent que le siècle stalinien était à la frénésie. Qu'aucun moment n'autorisait au peuple ces éblouissements.

De ses doigts « gros comme des vers », l'ogre du Kremlin serrait la gorge aux instants, jusqu'à leur faire sortir les yeux de leurs orbites, leur faire dérouler une langue bleue et crever leurs poumons. L'apparition d'une femme, semi-laide quoique clignotante, et de son enfant gros comme une côtelette, quoi de plus insignifiant en effet, dans un monde où tout atteignait la démesure tragique. C'était une égratignure. Pourtant, d'une égratignure, Varlam se laissa mettre en pièces. Pendant ces quelques minutes, en faisant ces quelques pas, il se glissa dans la manche d'une fourrure dont il ignorait jusqu'ici l'existence, et il devint, définitivement, un autre.

Ils ne firent pas quatre cents mètres, à peine le temps de sortir de la rue Volkaia, qu'un barrage de miliciens se dressa devant eux. Yeva se raidit, son visage devint de craie. Elle saisit le bras de Varlam. Il était trop tard pour prendre un chemin de traverse, les gardes les avaient repérés. L'atmosphère se fit tout à coup menaçante.

Dokumenti !

Ils étaient deux, bâtis comme des colosses, dans des manteaux de laine bouillie. Ils portaient des mitraillettes à l'épaule et un revolver dans un étui, à la ceinture. Posées sur leurs cous puissants, deux têtes de chien-loup.

Hey, les amoureux, ramenez-vous par ici ! Contrôle d'identité. On a des parasites à éradiquer, nous !

La voix était chantante. Promesse d'un bon moment à passer, invitation festive. Yeva supplia Varlam d'un regard.

— Attendez, je vais leur parler.

Varlam remit l'enfant dans les bras de sa mère et s'approcha des deux gardes. La peur, qu'il avait oubliée, refluait en lui.

— Camarades ! Nous ne sommes pas des parasites. Nous sommes une famille, nous revenons du travail et...

— Tu as tes papiers ?

— Bien sûr, camarade.

— Montre-les. Et ceux de ta femme aussi. L'enfant est à toi ?

Varlam, sans répondre, se tourna vers Yeva. Elle se tenait sous la douche d'un bec de gaz et dans cette lumière fade, sa face était celle d'un cadavre. Le bébé, couché en travers de ses bras, laissait pendre sa tête et ses jambes. Ce fut la dernière image qu'il garda d'eux, celle d'une pietà inverse.

— Dis-lui d'approcher, à ta nana. On va pas la manger.

Ce disant, deux paires de crocs scintillèrent dans la nuit.

Quelle heure pouvait-il être ? Peut-être 2 heures du matin ? La ville dormait, les rues étaient désertes. Varlam retira sa casquette en signe de soumission, se mit à la tordre, la panique fourmillait sous sa peau.

— Camarades...

Avant même qu'il ait pu ajouter un seul mot, un des gardes lui asséna un coup de crosse au menton. La mâchoire se disloqua. Varlam chuta de toute sa masse. Un sang épais maculait sa chemise, il était conscient, mais ne pouvait plus parler. Son maxillaire pendait comme un corps étranger fourré dans le sac de sa bouche. À genoux, il entendit Yeva crier. Mais un autre coup sur l'occiput, si violent que Varlam sentit voler une épluchure de son crâne, acheva de l'assommer. Il s'écroula.

Quand Varlam se réveilla, il était à l'hôpital. Des bandages entouraient sa tête. Perclus de douleur, il se leva à demi sur sa couche. La vérité entra en lui comme une nausée. Yeva et son fils avaient disparu et n'étaient plus que des fantômes supplémentaires dans une Pétropole déjà exsangue. La tristesse qui l'accabla le cloua pendant des semaines. Plusieurs semaines durant lesquelles ses songes lui parurent remuer des images enfouies, puisées d'enfoncements caverneux et remontant, comme des couteaux régurgités par un avaleur de sabre. Un seul rêve le hantait : une neige phosphorescente recouvrait des champs à perte de vue. Et partout, mêlés à la gelée immaculée, des débris d'os gluants de sang formaient des congères, de longs blocs de glace sanglante. Des bouts de scalps, des cuisses fendues, coupées à ras de l'os, des bras, des têtes méconnaissables, grosses comme celles des noyés. Nuit après nuit, à mains nues, Varlam harcelait cette glace pour lui faire cracher Yeva et son fils. Les extraire des cadavres des autres, de tous ceux qui gisaient démembrés, sans nom et sans passé. C'était une obsession qui le tenaillait. Pour quoi ? Pour rien. Même dans le rêve, Varlam savait toute son entreprise vouée à l'échec.

Kak tibia zavout ?

Minia zavout Yeva.

À l'aube, les infirmières le trouvaient se labourant la poitrine, la gorge asphyxiée, des sanglots le secouant. Peu à peu, ses blessures guérissaient. Sa mâchoire recousue se remplissait toujours de salive noire, mais la plaie sur le crâne n'était plus cet horrible cratère débordant de matière rosâtre.

Varlam gardait en mémoire les inflexions de la voix de Yeva, flûtée et un peu farouche. Il s'y accrochait comme à des rênes enchantées, et en suivant le fil de cette chaîne, parvenait jusqu'à l'icône mouvante de son visage. Ce visage-retable, ce visage-autel, contemplé sans cesse dans la chambre intérieure, Varlam y déposerait toute sa vie l'offrande de ses gestes. Ce fut à l'hôpital qu'il noua le vœu sacré qui serait son sacerdoce.

Minia zavout…

Minia zavout Toska i Smert.

Minia zavout Vremia, minia zavout Lioubov.

Une fois guéri, Varlam rentra chez lui. Il avait connu son chemin de Damas et, tout comme son illustre modèle de sainteté, il voyait le monde à la lumière de sa découverte.

Sa participation au crime organisé lui répugnait désormais. Il fut puni plusieurs fois par des sbires, d'anciens collègues, battu et laissé pour mort. Il y eut d'ailleurs un soir définitif où on l'attrapa (la scène eut lieu dans la rue Prozrachnaia) et où, de force, on raya les tatouages qui l'incluaient dans la confrérie des truands. Tandis que trois hommes lui tenaient les épaules et les pieds, on lui grava l'insulte suprême des répudiés de l'ordre. Tout cela n'avait plus aucune importance. Varlam se laissa faire, sentant même une certaine joie dans ces nouvelles dégradations. Il abandonna ses amitiés, ses anciennes amours, et demeura seul. Il savait que sa vie entière servirait à rétablir la vérité sur cette soirée de juin 33 et à rassembler les os éparpillés de cette femme et de son enfant.

Par la suite, Timotei, son père, lui révéla enfin les circonstances du meurtre de sa mère. Alors, Varlam renoua le fil rompu sur le conseil pervers de l'ange. Et en tant que prêtre d'un nouvel ordre clandestin, concurrent du grand hachoir totalitaire, il décida que tous les sacrificateurs d'innocence recevraient, par sa main, la vengeance en ce monde. Nastia, Yeva et l'enfant dont il ne sut jamais le nom, ne seraient pas morts impunément.

La Grande Guerre, qui débuta peu de temps après ces événements, lui permit d'acquérir beaucoup d'expérience. Leningrad devint une fourmilière désertée, une fleur de sable, une cathédrale squelettique. La faim calcina jusqu'aux organes de la ville. Varlam, lui, avait été affecté en Ukraine. Pendant que son père, demeuré dans la capitale, gisait au centre de ses draps, de plus en plus faible dans le misérable offertoire de son lit, tandis que de sa bouche sortaient d'ultimes prières de pardon, le fils égorgeait (avec une dextérité croissante) des violeurs et des assassins, faisant justice aux femmes et aux enfants martyrisés croisés sur son chemin. Le marasme et la désorganisation générale lui permirent de passer inaperçu. Quand la guerre fut finie, on compta les morts, et ceux de Varlam se fondirent dans la masse.

Les dernières années du stalinisme furent épouvantables. Varlam, soupçonné d'écrire des poèmes non conformes, connut l'exil sur la mer

Noire et en Arménie. Sans aucune ressource et harcelé par les mouchards, il survécut par miracle. Au moment de la déstalinisation, on le réhabilita, lui octroyant une pension ridicule. Il partit s'installer à Kostroma, avec une femme abkhaze prénommée Dounia, qui lui donna deux jumelles dissemblables – Ilona et Séraphina. Il tua moins, mais continua à chercher et à débusquer les bourreaux.

Varlam, malgré tous ses efforts, n'apprit qu'à la fin de sa vie ce qui était arrivé à Yeva et à son fils. Il lui fallut attendre plus de trente ans, quand la vérité sur l'île de Nazino fut révélée par les médias étrangers. Il apprit alors – ce jour d'été 1967, il faisait une chaleur de four, et ce fut Ilona qui lui tendit l'article extrait de la presse française qu'elle avait réussi à se procurer –, il apprit que les gens comme Yeva et son fils, dans l'incapacité de montrer des papiers en règle, avaient été emmenés directement à la gare Vitebsky.

Ce soir-là, un train rempli d'autres « parasites » (des adolescents, des vieillards, des petites gens qui avaient commis l'erreur de sortir sans leur précieux document) roula toute la nuit pour les amener jusqu'à l'Oblast de Tomsk, sur une petite île appelée Nazino, que l'on désignait dans l'article comme « l'île des cannibales ». C'était une prison en plein air, destinée à éloigner des villes les éléments indésirables, une prison presque sans gardien, l'île étant particulièrement isolée. Comme les trains devaient être remplis, quotas obligent, on avait ramassé le tout-venant. Ils furent six mille en tout, de toutes origines. Là-bas, les attendaient des marécages et du bois mort, ainsi qu'un immense silo de farine.

Les attendaient aussi quelques véritables parasites, quelques authentiques truands, qui faisaient également l'objet des mesures du grand nettoyage urbain décrété par l'Ogre. La famine s'installa sur l'île. Les forts décidèrent que pour survivre il fallait se nourrir de la chair des faibles.

Nazino, emblème miroitant de toutes les barbaries, fut un pique-nique champêtre et christique où le corps des innocents s'offrit en banquet.

Yeva et son petit garçon furent dévorés, sans doute dès leur arrivée. Sans doute découpés encore vivants et mis à la broche au-dessus d'un feu de rive, au milieu des frelons.

Ilona n'avait pas beaucoup plus de vingt ans à l'époque, mais elle assistait depuis quelques temps son père, « quand il le fallait ». Elle avait grandi entourée de ses secrets et de ses obsessions. Elle n'oublierait jamais le visage de Varlam quand il sut enfin. Il mourut quelques jours plus tard et Ilona fut livrée à elle-même, et à Gleb.

Les bougies, fines et blanches comme le voile d'une mariée, dansaient sur le présentoir, malmenées par les courants d'air. Le pope chantait derrière un autel de ciment orné d'une couverture brodée. Un grand vase rempli d'ajoncs odorants jouxtait une croix scintillante, rouge et or. La voix de basse du pope consacrait le pain, ses mains étaient apposées sur les offrandes. Au-dessus de leur tête, le plafond vibrait d'une antienne sporadique venue de l'étage supérieur.

Ilona laissait dériver ses pensées, la divine liturgie se déroulait sans elle. Elle aurait tant voulu, ce matin si crucial, pouvoir se vider le cœur et recevoir un vrai pardon pour tout ce qu'elle avait fait.

Combien de gens avait-elle tués au cours de sa vie ? Rien qu'en examinant les meurtres qu'elle avait commis pour le compte de son père, elle n'aurait pas assez d'une vie pour expier. Et par la suite, durant sa carrière au service de Gleb, ses péchés étaient innombrables. Sans compter tout ce qui avait eu lieu depuis qu'elle s'était enfuie. N'avait-elle pas, à tous les âges de sa vie, cédé au mal ?

La pensée que son âme était noire l'empêchait de participer à l'office avec l'esprit libre. Pour la première fois, la peur de mourir sans rédemption la taraudait. L'encens déployait ses volutes de lait sous les arches de polymère. Ilona les suivait des yeux, sans lâcher ses pensées.

Tout à coup, tandis que le ramage des priants s'élevait, Ilona sentit son front rougir, sa gorge et son ventre, jusqu'à la racine des seins, se couvrir de sueur et son dos se perler d'une humidité dégradante. La laine de son chandail se plaqua sur sa peau, ses joues prirent feu. Puis le froid la gagna, l'eau de son corps se glaça tout à coup. Ilona recoiffa les mèches qui s'étaient échappées de son chignon.

— Tu ne vas pas mourir ce soir, vieille kozelka, et Mina non plus. Pourquoi tu crèves de trouille comme ça ? On dirait que t'en as pas vu d'autres, se murmura-t-elle en reprenant ses esprits.

La liturgie se poursuivait, le prêtre prononçait l'épiclèse. Ilona s'aperçut qu'une petite fille aux nattes blondes, toute vêtue de blanc, était assise un peu en retrait à côté d'une femme qui devait être sa mère. Deux grands nœuds d'un rouge écarlate décoraient la pointe de ses tresses.

Qu'elle était jolie. La parfaite poupée russe, aux joues roses et au teint frais. Tout à fait Mina, dans son jeune âge. Une tendresse jaillie, affleurant sur ses cils, la fit cligner des paupières. La fille de Mina ressemblerait-elle à cela, un jour ? Lui en laisserait-on le temps ? Et elle, Ilona, vivrait-elle assez longtemps pour la voir, ne serait-ce qu'une fois ?

La Communion n'allait plus tarder, à présent. L'Hymne à la Mère de Dieu s'élevait, solennel et riche. Le prêtre partit goûter le pain et le vin dans l'iconostase. Les fidèles se recueillirent. Ilona restait isolée dans ses pensées.

Quand le pope revint pour distribuer l'hostie et le sang du Christ, elle ne se leva pas pour rejoindre la file. Elle se sentait indigne de tendre sa bouche vers la cuillère.

D'ici quelques heures, tout sera consommé. Je verrai bien si nous sommes mortes.

Et elle sortit de la pièce, à rebours des communiants qui se dirigeaient vers l'autel.

4

Une fois la porte refermée sur la chambre de Baba, Eva et Sacha se tinrent en silence dans la semi-obscurité du vestibule. Une odeur forte de merde ancienne (de ces excréments noirs, sédimentés) flottait dans l'air, sans que ni lui ni elle ne dise un mot. Le garçon lui prit la main pour la serrer et Eva se laissa faire, avec le sentiment qu'il s'agissait du commencement d'un baiser. Et si Sacha l'avait embrassée, à cet instant et dans cet endroit, dans l'état particulier de fascination où elle était, elle n'aurait rien trouvé à redire. Bien au contraire. Quand Eva s'aperçut que Sacha n'avait saisi sa main que pour la secouer en guise de salut, elle rougit jusqu'à la racine des cheveux et recula d'un pas titubant.

Il y eut encore quelques secondes de gêne, puis un frôlement de draps dans le fond de la cabine, assorti d'un râle étouffé, les arracha à leur tête-à-tête.

Eva, fronçant les sourcils et prenant un air affairé, avança vers le lit, distançant Sacha qui restait à l'arrêt, dans une position de danseur en première. Celui-ci se peigna de ses doigts écartés, au ras du crâne. Puis chercha l'interrupteur, qu'il trouva à la gauche du linteau de la salle de bains. La lumière électrique gicla d'une ampoule nue et reconfigura la pièce : les contours, auparavant habillés par les ombres, apparurent dans une scandaleuse impudeur. Sacha plissa les yeux et se tourna vers le lit médicalisé au centre du petit appartement. Son regard rencontra la silhouette d'Eva, accroupie au pied du lit, tenant d'une main ferme une des rambardes servant à la structure de renforcement métallique, et laissant son long manteau balayer le sol telle une traîne d'impératrice. Le visage d'Eva était penché sur celui de la pensionnaire. Sacha n'entendit pas ce qu'elles se disaient. Il se contenta de croiser les bras sur sa poitrine et de faire un tour complet sur lui-même.

— Il faut aérer, finit-il par dire.

Eva ne réagit pas. Elle demeurait hiératique, sa chevelure blonde, crépue, semblait une flamme pâle allumée au-dessus de sa tête. Elle chuchotait à l'oreille de la forme couchée sur le lit, forme qu'elle cachait en grande partie (Baba apparaissait, morcelée, dans l'échancrure des draps et les découpures des barres de métal). Sacha détourna la tête, regarda ses pieds. Il attendait.

Eva, enfin, se leva, l'air grave. Derrière elle, sur le lit, le paquet d'os et de peau flasque continuait à murmurer une sorte de comptine.

— Il faut la changer, vous ne croyez pas ? se risqua-t-il.

Eva lui jeta un regard mouillé.

— Depuis quand est-elle comme ça ?

Le garçon haussa les épaules.

— Comme quoi ?

— Dans cet état. Ne faites pas l'idiot. Elle délire, elle dit qu'elle a tué des gens. Depuis combien de temps alors ?

— Ils sont tous comme ça. Je ne vois pas ce que vous voulez dire...

Sacha s'octroya quelques secondes pour regarder Eva. Elle avait beaucoup changé depuis leur « première rencontre ».

À l'endroit d'Eva, Sacha éprouvait un sentiment tout à fait particulier, non pas une attirance, un enjeu de séduction, non bien sûr que non, mais une dette. Il se remémorait avec exaltation et gratitude l'apparition de cette femme, dix-sept ans plus tôt, dans le rôle d'Hortense du *Prince travesti*. Son professeur de français de cinquième avait invité la troupe itinérante au collège pour une représentation unique.

La pièce s'était déroulée dans l'amphithéâtre, refaçonné pour l'occasion en palais rococo avec, en toile de fond, un immense ciel peint, traversé d'altostratus. Les comédiennes, nippées de blanc et d'or, avaient enduit d'une épaisse couche de fard leurs visages que la lumière resculptait. Leurs bouches souples, maquillées d'un rouge vermillon, articulaient tous les mots, comme si elles les avaient avalés, mastiqués, délicieusement dégustés. Pour Sacha, l'expérience eut un retentissement formidable.

Il ne comprit rien à l'intrigue. Les personnages masculins le laissèrent de marbre. Mais la contemplation des corps nimbés des femmes (Lisette, la Princesse et, donc, Hortense), de leur vitalité éclatant sous leurs costumes et leurs peinturlures, ainsi que l'abandon au sentiment troublant d'assister à un secret livré par inadvertance, tout cela le bouleversa assez pour qu'il décidât d'offrir sa vie au théâtre.

Certes, Eva avait changé depuis cette expérience fondatrice et hautement idéalisée. Celle qu'il avait vue fouler les planches de l'amphithéâtre du collège Yves Coppens de Douarnenez, un après-midi d'octobre, affichait alors l'air martial qui convient aux femmes inaccessibles. La silhouette qui se tenait près de lui à présent, devant le lit de sa grand-mère sénile, avait perdu l'ampleur indomptable de la jeune amoureuse de Marivaux.

Sa chevelure l'avait jadis marqué, et c'est encore à ce détail qu'il l'avait reconnue, alors qu'elle scrutait, un après-midi de juin dernier, une partie de dominos à la table de sa grand-mère. Il l'avait discernée parmi la foule des visiteurs. Sacha ne l'avait plus revue depuis cette occasion.

Ce soir, il la retrouvait donc, pour la deuxième fois. Mais la déception avait déjà accompli une partie de son œuvre. Son souvenir avait conservé le caractère exquis de sa première apparition. La rencontre fortuite avec la femme vieillie délogeait l'idole de son sarcophage. Cette déception, bien réelle, Sacha s'employait à la minimiser. Il était armé contre les passions tristes. Il les enregistrait et les évacuait. Là résidait son équilibre.

De plus, comme tous les gens de son âge, et cela malgré son intelligence et son indéniable maturité, Sacha éprouvait une foi aveugle en sa capacité à ne pas subir le temps de la même manière que ses aînés. Aussi Eva apparaissait-elle à Sacha comme la rescapée d'un sacrifice inconnu.

Sacha fit un pas pour contourner Eva. Leurs bustes s'épousèrent un instant, tandis qu'il exécutait un pas de danse, soulevant presque Eva au passage. Il avait décidé de s'affairer pour dissiper, à défaut de la gêne, l'odeur inconvenante. Il saisit le pommeau de la douche et enclencha le jet brûlant au maximum, en le dirigeant avec habileté sur les parois. Eva le regardait, attentive jusqu'aux larmes.

Quand le sol et les murs furent rincés, Sacha ferma le robinet et empoigna un spray désinfectant sur le dessus de son chariot. Il en aspergea la surface des murs. Presque aussitôt, une fragrance javellisée entra en collision avec le bouquet de nécrose qui régnait jusqu'alors. Sacha n'en paraissait pas le moins du monde affecté et frottait les murs avec une brosse en poil de carbone.

Un grincement attira l'attention d'Eva. Toujours debout, elle porta ses regards vers la porte d'entrée. Un coup de vent venait de l'ouvrir, au ralenti, comme si elle eut été poussée par un être minuscule et exténué. Par-delà le cadre, on entendait la nuit bruisser sous la pluie. La terrasse scintillait de petites explosions lumineuses, chaque fois que les gouttes percutaient un rayon de lune ou la lumière d'un lampadaire. Un air frais, marin, se coula dans la pièce, s'enroulant à l'odeur de javel et la dissipant un peu.

Enfin, Eva fit un demi-tour sur elle-même pour faire face au lit où reposait Ilona. Elle constata que la couche était vide. Sa grand-mère n'y était plus. Il fallut quelques secondes à Eva avant qu'elle ne repère son ombre, repliée comme une bête dans un recoin de la pièce. Eva sursauta.

Baba se tenait nue, ses cheveux détachés, longs comme ceux d'une sèche Bethsabée, flottaient sur ses épaules. Son corps glabre, strié çà et là des marques rouges des escarres, était animé d'un tonus qui semblait celui d'une femelle convulsant pour mettre bas. Son regard à la pupille jadis éclairée d'un vert limpide, moucheté d'audace et de confiance, arborait à présent un air qu'Eva ne lui connaissait pas.

Eva eut le réflexe de baisser les yeux. Elle aurait voulu appeler Sacha, ne pas affronter cela, ne pas affronter cela toute seule.

— Est-ce que tout va bien ? parvint-elle à articuler, toujours sans regarder ce corps hagard qui se balançait dans la lumière. La question était absurde à en pleurer. Baba n'allait pas bien du tout. D'ailleurs ce n'était même plus Baba.

— Il faut te rhabiller, tu vas prendre froid. Tu ne devrais pas sortir de ton lit. Tu m'entends ?

La vieille femme ne répondit pas, son nez siffla un son de détresse. Elle fit un pas vers Eva, puis leva ses bras de momie. Invoquait-elle une embrassade ? Cherchait-elle à rejoindre la rive où l'attendait Eva ?

— Je viens vers toi, attends-moi.

Eva, disant ces mots, ne bougea pas. Baba fit un deuxième pas, puis s'écroula, à même le sol. Cette fois, Eva parvint à se mouvoir pour la secourir. Le corps, allongé par terre, caché de la lumière par le rebord du lit, se confondait dans l'ombre avec une tache, le motif scabreux d'un tapis. Elle n'était plus que cette tête aux yeux clos, aux traits relâchés de Pythie droguée. Eva se pencha sur elle, agrippant ses épaules, la déplia comme une marionnette. La hanche était à l'évidence fracturée. Eva cria :

— Sacha ! Venez je vous en supplie !

Baba ouvrit les yeux un court instant, et presque inaudible elle prononça :

— *Izvini, dotcherinka maia*, car je me suis donnée au Mal. J'ai... J'ai tué beaucoup de gens.

Eva se contenta d'ouvrir les yeux. Elle avait dû dormir, en tout et pour tout, quatre heures depuis son écroulement sur le canapé du salon, couvert d'un drap poussiéreux. Elle clignota des paupières, accablée comme une enfant. Elle n'était pas reposée, loin de là. La nuit était tombée, les rayons du soleil, qui quelques heures auparavant perçaient des volets clos, avaient désormais disparu. Elle aurait voulu se rendormir, mais son circuit électrique déréglé refusait de s'éteindre.

Quelle heure pouvait-il être ? Autour de minuit, sans doute. Elle se redressa, posa les pieds sur le sol froid en se caressant la nuque, à la racine des cheveux. Elle replia son gilet sur sa poitrine et alluma une cigarette. La fumée emplit l'espace comme un brouillard de cinéma.

La veille, elle avait été à la rencontre de ce prêtre noir, dont on lui disait qu'il avait vécu en Russie. Elle n'avait rien trouvé de mieux pour l'approcher que de se prêter à une confession, absurde dans son cas, puisque ce n'était pas son pardon qu'elle venait chercher, mais son aide. Était-ce vraiment d'un prêtre qu'elle avait besoin, et non plutôt d'un détective, ou d'un archéologue ? Elle avait conscience du caractère désespéré, presque enfantin, de sa démarche. D'ailleurs, le prêtre ne l'avait visiblement pas prise au sérieux. L'avait-il simplement écoutée ? Comment lui expliquer, à lui ou à qui que ce soit d'autre, que sa grand-mère était devenue étrangère, inquiétante non seulement par sa vieillesse extrême qui la transformait en un animal traqué, mais par le secret qu'elle exhibait tout à coup, sans le révéler ?

Je me suis donnée au Mal. J'ai tué beaucoup de gens.

Qu'est-ce que cela voulait dire ?

Eva s'était installée dans la maison de Baba, conservée contre vents et marées. Le mobilier était resté intact depuis le départ de sa grand-mère, et semblait encore imprégné de son esprit, comme taillé dans son haleine. Eva détestait cette maison, autant qu'elle l'avait détestée durant toute son enfance. Elle s'étonnait même de retrouver sa haine de ce lieu, à ce point inchangée.

Mais à ce stade de son existence, il s'agissait de son seul port d'attache. La situation actuelle d'Eva était terrible, pitoyable à force de précarité. Elle n'avait pas joué au théâtre depuis des années, et même les contrats les plus humiliants, ceux qu'elle acceptait jadis avec réticence, ne lui étaient plus proposés. Eva était réduite à une pauvreté infâmante. Or, elle savait qui blâmer : son âge.

Le temps peu à peu l'avait défraîchie, avait creusé ses traits, usé ses gestes. Chaque jour elle sentait se dérober sa beauté, sa vitalité, et avec elles, la confiance en ses ressources. Finalement, l'état de sa grand-mère, l'imminence de sa mort, avaient servi de prétexte pour transformer une simple visite en séjour plus durable... Mais jusqu'à quand ? se demanda-t-elle avec angoisse. Ne suis-je pas tombée dans le plus grand des pièges : la résignation, prélude à la déchéance ? Et quand Baba sera partie, qu'est-ce qui me restera ?

— J'aurais dû suivre ses avertissements, me tenir loin du théâtre...

Eva s'interrompit pour sangloter sans larmes.

Soudain, elle entendit trois notes sortir de son téléphone, annonciatrices d'un texto. Se redressant à demi, elle consulta l'écran : à sa grande surprise c'était un message de Sacha.

Eva poussa la porte du Donegan et elle aperçut le jeune homme dans le fond, seul à une table. Il paraissait s'apprêter à partir. Il ne la vit pas approcher, vida son verre et commença à rassembler ses affaires : son téléphone portable, qu'il consulta d'un coup d'œil, et des feuilles volantes, griffonnées d'encre noire. La foule braillarde et agitée du pub formait des bancs mouvants. À cette heure avancée de la nuit, la clientèle n'était plus qu'un vaste ramassis de trognes.

Eva arriva jusqu'à Sacha au moment où celui-ci remplissait son sac. Prise de trac, elle ne le salua pas, mais se contenta de se laisser tomber sur une chaise en face de lui. Sacha, levant les yeux, la reconnut. Aussitôt, il interrompit ses préparatifs et la remercia d'être venue.

— Même si je vous attendais plus tôt, précisa-t-il. Je commence le boulot à 6 h 30 cette semaine. Toute la semaine. C'est dur, parce que je suis plutôt couche-tard, et le matin… Je ne vous fais pas un dessin. Ce n'est pas grave, comme vous n'arriviez pas, j'ai eu le temps d'avancer l'écriture de ma pièce.

Cette confidence fut accueillie par le mutisme d'Eva. Sacha n'en parut pas décontenancé.

— Vous buvez quelque chose ? Un verre d'Armorik avec moi ?

Eva hocha le menton, même si elle ignorait ce qu'était l'Armorik. Le mystère se dissipa quand le serveur leur apporta deux verres et une bouteille de whisky frappée aux armes noires et blanches du Finistère, et ornée d'une de ces ridicules illustrations New Age.

— C'est beaucoup trop fort pour moi, s'écria-t-elle, en opérant avec les mains un délicat mouvement d'essuie-glace.

— Depuis que je vous ai retrouvée, vous passez votre temps à faire des chichis, constata Sacha en versant la boisson dans les deux godets en pyrex. Vous clopinez, vous avez la goutte au nez, vous levez des sourcils dédaigneux sur la merde de votre grand-mère. Quand ladite grand-mère se casse la hanche, vous vous évanouissez. Là vous refusez de trinquer. Vous êtes une chichiteuse. Avouez.

Eva haussa les épaules et vida d'un trait son verre. Sacha le lui remplit de nouveau et Eva le liquida derechef. Sacha sourit.

— Je ne peux pas boire, je suis bourrée de Xanax, feula-t-elle.

— Alors avant que vous ne tombiez encore dans les pommes, j'ai intérêt à me dépêcher de profiter de votre attention. Ne buvez pas trop vite, j'ai quelque chose d'important à vous dire. Plusieurs choses en fait.

Sacha se racla la gorge. Au même instant, l'alcool déboulait dans les veines d'Eva. Celle-ci clignota des paupières, soucieuse de ne pas laisser paraître qu'après deux rations elle avait perdu l'essentiel de sa maîtrise. Pour la première fois, le visage de Sacha lui apparut, non plus hermétique, masqué par le trouble de l'occasion, mais galopant devant elle, à découvert, vers l'Apocalypse. Elle remarqua enfin qu'il avait les yeux noirs. Des yeux intelligents et très sensuels. Les bruits du bar ne lui parvenaient plus qu'amuïs.

— Je vous ai demandé de me rejoindre, parce que, il faut que je vous le dise, il y a quelques années, vous avez joué une pièce de Marivaux devant des collégiens de Douarnenez. Vous étiez Hortense. Je me trouvais parmi les spectateurs et…

— Et ?

En l'écoutant, Eva se servait un troisième verre, un peu plus qu'à ras bord.

— Et vous avez changé ma vie.

À la suite de quoi, il y eut un silence, ponctué de deux hoquets produits par Eva.

— Vous ne voulez pas savoir comment vous avez changé ma vie ?

— Si, bien sûr.

Eva avait répondu avec des yeux ronds insolents (en vérité surtout vitreux). Sacha se rembrunit. Il comprenait qu'il ne pourrait pas aller plus avant sans meurtrir ses souvenirs. Il recula sur sa chaise, croisa les doigts derrière sa nuque et attendit. Eva, elle, se battait avec son ivresse, qui s'était déployée avec la vélocité d'une marée scélérate.

— Je vais vomir.

Sacha haussa les sourcils de surprise.

— Vraiment ? Pour si peu ?

Eva tâchait de garder les yeux ouverts et fixait un coin de linteau. Elle aurait voulu expliquer à Sacha que les termes « si peu » n'étaient pas tout à fait adéquats, en l'occurrence. Les mots s'écrasaient dans sa gorge. Qu'aurait-il compris, de toute façon ? Quelles paroles auraient pu exprimer ce qu'elle ressentait depuis des mois ? L'abandon, l'échec, la fatigue toujours plus intense. La douleur qui la prenait en tenaille, même durant son sommeil. Le manque d'argent, le manque d'amour. La perte, enclenchée comme un compte à rebours. Et plus encore, la vanité mortifiée de vieillir. Ne plus compter, bientôt. Être enterrée vivante dans le sarcophage. Ilona n'avait qu'un peu d'avance, c'était tout. Elle ferma les yeux et sentit l'arrière de sa tête s'écraser sur le fauteuil d'un train fantôme.

— Non, je ne vais pas vomir, prononça-t-elle enfin.

— Vous valez mieux que ça, Eva.

— Comment le savez-vous ?

Eva s'était redressée. Elle ouvrit un œil torve et répéta sa question.

— Comment le savez-vous ? Qu'est-ce qu'on sait à vingt ans ?

Sacha décroisa les doigts.

— Vous êtes insupportable. Rien ne vous oblige à vous conduire comme vous le faites. À voir le monde de cette façon. Vous êtes une grande actrice. Vous ne devriez pas vous abîmer. Quand je vous ai demandé de venir, c'était pour vous convaincre de jouer avec moi. Une pièce. Vous m'entendez ?

Sacha soupira en constatant que ses propos n'étaient pas entendus. Il se leva. Ses affaires étaient prêtes.

— Nous en reparlerons plus tard. Je vais vous raccompagner.

Eva acquiesça et se laissa emmener à travers une haie d'ivrognes. Ils remontèrent la rue de la Somme, après avoir grimpé en silence les escaliers qui partaient du quai Toudouze. Eva boitait et avait accepté le soutien du bras de Sacha. À plusieurs reprises, elle chercha à poser sa tête lourde sur celle du jeune homme. Elle était aussi grande que lui, sa tempe blonde s'accotait à la crinière désordonnée, avec des mouvements de chat râpant son museau sur un coin de porte. Sacha tolérait ses gestes tendres.

Elle pensa : « Vous êtes mon nocher jusqu'à la porte des Enfers, Charon chéri. » L'air était frais. Les étoiles brillaient, rêches sur la toile du ciel nocturne.

Quand ils arrivèrent sur le pas de la maison d'Ilona, Sacha lâcha la main d'Eva. Ils demeurèrent ainsi. Quelques secondes peut-être. Eva faillit tomber. Sacha la rattrapa d'un geste. Alors qu'elle avait un genou à terre, Eva tendit son visage vers celui de Sacha. Celui-ci, brusquement troublé, eut un mouvement de recul.

— Ce n'est pas de cette manière que je veux vous aimer.

Eva baissa les yeux, ne dit rien. Elle se releva et entreprit de chercher ses clés au fond de ses poches, le dos tourné à Sacha.

— Votre grand-mère devrait sortir de l'hôpital dans quelques jours.

Eva balbutia.

— Les hanches, à cet âge-là, c'est comme du cristal, ajouta-t-il.

Elle approuva, dans un souffle. Son ivresse fléchissait, s'éteignait, laissant place à l'accablante conscience de sa disqualification.

— Tournez-vous vers moi. J'aimerais vous voir.

Eva se retourna et fit face à Sacha.

— Promettez-moi que vous prendrez soin de vous. Vous m'êtes… vous m'êtes chère, je veux que vous le sachiez.

Eva eut un rire nerveux. Sacha baissa les yeux et disparut, avalé par la nuit.

Quelques minutes plus tard, Eva, toujours en manteau, portait à sa bouche une cigarette allumée. Elle se trouvait dans le salon, entre la télé et le canapé, juste en face d'une fenêtre aux volets fermés. Elle tenait dans son autre main son téléphone portable. D'un pouce, elle en consulta le dérisoire historique. Son torse, sa tête et ses jambes montraient à intervalles réguliers de brefs instants de décoordination, contrôlés de justesse. Elle composa un numéro.

Le combiné à l'oreille, elle s'approcha des photos encadrées sur le buffet. Elle sourit en tanguant comme une algue laminaire. Ilona, le visage fermé comme à son habitude, posait ses beaux yeux sur l'objectif. La sonnerie retentit dans l'appareil. Elle frémit en entendant la voix de Sacha.

— Sacha, revenez, j'ai quelque chose pour vous. Je vous interdis de le refuser.

DEUXIÈME PARTIE

« Qui vit ne se compare à rien »

Ossip MANDELSTAM

1

Ilona avait passé les dernières heures à nettoyer la maison de fond en comble. Elle avait commencé par retirer les draps qui couvraient son lit. Avait ouvert grand les fenêtres, malgré la pluie, pour laisser entrer l'air frais et régénérer l'atmosphère. Les draps avaient été lavés à haute température, séchés dans le tambour de la sécheuse jusqu'à ce que leur texture obtienne l'onctuosité d'une soierie fine. Munie d'un plumeau et d'un chiffon mouillé d'une solution de vinaigre et de citron, elle avait ravivé l'éclat des bibelots, des poupées, des bijoux, de tout ce qui était posé sur les étagères, s'accrochait aux murs et qu'on leur avait laissé en guise de décoration. Ilona avait rempli un seau d'eau savonneuse au discret parfum de javel et avait frotté les murs, les émaux et les robinets de sa salle de bains.

L'intérieur s'était mis à briller comme luit un brin de paille. Quelque chose de délicat s'était peu à peu manifesté, un esprit familier s'était réveillé, celui dont elle avait besoin pour affronter ce qui l'attendait. Elle avait astiqué toutes les vitres, au point de ressentir une tension depuis le coude droit jusqu'à l'épaule. Elle avait frotté l'inox de l'évier. En passant la toile imbibée de savon noir sur le plancher de bois, Ilona s'était senti enfin vidée d'espoir.

Elle se prépara un thé très noir, fumé aux écorces d'orange amère, et tout en le savourant, se posta devant la fenêtre de la cuisine. Les rayons baissaient déjà, recouvrant la campagne d'un éclat améthyste. En rentrant de la messe, elle avait relevé le loquet de la chambre de Mina, sans y entrer. À l'heure qu'il était, Mina n'en était pas encore sortie.

Un coup de vent fit vibrer la vitre et Ilona fixa un instant le dehors. Les arbustes, d'habitude robustes et bas comme des matrones, semblaient à présent saisis à la nuque, traînés par les bourrasques.

Les champs de son enfance, près de Kostroma, se couchaient au gré du vent, avec une docilité souple de femme amoureuse. Ilona revoyait l'émotion lente des herbes, des branches de sapin à l'odeur de moelle crue, les brèches luisantes de vert et de rose qu'elle avait contemplées à s'en user les yeux, assise sur la clôture de bois qui délimitait le rectangle de leur terrasse.

Tout au fond du champ, le triangle de la tente dressée par sa mère laissait échapper de son toit une fumée qui flottait comme la queue altière d'un renard. Cette tente, pleine de fumigations étranges, était l'objet de toutes les curiosités de la jeune Ilona.

Un point-deux longs traits-trochée-spondée. Poing fermé, poing ouvert, écartèlement lyrique, delta, doigts croisés sous la nuque du ciel.

Or d'une chevelure éparpillée, pelage ocellé, éclaboussement d'encre.

Le nuage de fumée parlait une langue, mais laquelle ?

Du plus loin qu'Ilona se souvienne, cette fumée fut sa première Némésis. Le feu semblait ne jamais s'éteindre dans la hutte. La mère en interdisait l'accès et Ilona, assise sur sa croisée, dès le retour de l'école, en fixait les développements infinis. Ses tresses recourbées sur le haut de son crâne délicat étaient ornées du nœud rouge des écoles maternelles d'oblast mineurs, et son tablier à carreaux, immaculé même en fin de journée, se tendait sur ses genoux soyeux. À cette époque, Ilona aurait donné tous les secrets de l'arithmétique et des sciences naturelles, ceux qu'on lisait sans ciller dans les bouliers et les entrailles de grenouilles

Tout le contenu des comptines soviétiques époumonées en rang d'oignons dans la grande cour au passage des caciques

A nou kak piesnou nam propoï, vissoli vetier !

Tous les vers de Pouchkine récités la main sur le cœur par l'ignoble maîtresse aux manières rudes et au rouge à lèvres écarlate débordant sur l'incisive droite

Pod goloubimi nebessami... velikaliepchimi kovrami...

Ilona aurait donné tous les chiffres de performance du kolkhoze Molotov, toutes les statistiques de production de l'usine de papier de Krasnoye-na-Volge (fleuron encensé par le Comité central à grands coups d'œillets rouges, de médailles dorées et de photographies d'employés modèles en costume tabac). Ilona aurait troqué tout l'avers lisse et souriant de la numismatique soviétique pour savoir enfin ce qui se tramait dans la tente de sa mère.

La femme abkhaze que Varlam avait épousée après la guerre se nommait Dounia, c'était une de ces paysannes impavides à figure d'homme typique de sa région. Celle-ci avait suivi Varlam sans broncher dans toutes ses tribulations et acceptait que plane sur leur union le fantôme d'une femme et de son enfant disparus. Elle connaissait les activités meurtrières de son mari, et gardait là-dessus la bouche cousue. Elle lui avait donné les jumelles, Ilona et Séraphina, dont elle s'occupait avec une efficacité silencieuse de bête. La disparité formidable des deux fillettes la laissait en apparence de marbre. Séraphina rebutait par sa laideur et sa débilité, ses membres obèses et son regard torve, mais sa mère la traitait avec des égards réservés aux possessions précieuses ou aux hôtes de marque. Dounia voyait en Séraphina, à l'évidence, une merveille. Au contraire, elle ne réservait qu'une sincère indifférence à la perfection physique de son autre fille, Ilona.

Elle parcourait leur propriété de son pas énergique, sans cesse occupée à d'énigmatiques travaux. Dans les souvenirs d'Ilona, sa mère était cette silhouette, couverte en été d'une simple robe de toile écrue, laissant ses épaules découvertes et frôlées par une chevelure filamentée de bronze et de laine blanche, en hiver d'une pelisse rapiécée et d'une couronne de fourrure. La petite Ilona l'associait en tremblant à la figure de la femme de Loth. L'envie féroce, étouffée tant bien que mal, d'assister à sa destruction et d'accéder à son secret, lui tordait si souvent le ventre que Dounia, clairvoyante comme elle l'était, ne pouvait ignorer l'hostilité de sa fille. En retour, Ilona grandissant avait constaté la méfiance de sa mère à son endroit, pis encore, son rejet.

Le « grand dévoilement » n'eut lieu qu'à la mort de Dounia. Ilona, tout en se dirigeant vers la table en bois de sa cuisine, se rappelait encore sa déception, mêlée de véritable effroi, au moment d'écarter enfin les deux pendants de cuir et de toile pour n'y trouver que le capharnaüm d'une forge de fortune, les vestiges d'une crèche rougeoyante, un vieux matelas au centre calciné et beaucoup de poissons morts, pendus en grappe aux arceaux de bois blond.

Que penser à présent de cette révélation trop longtemps attendue et qui pourtant condensait à la manière d'une charade dérisoire les images de son existence ? Ilona regretterait à jamais de ne pas y avoir vu un avertissement de sa mère, et même sa malédiction.

Durant les enseignements bibliques que son père professait clandestinement dans leur cuisine aux volets fermés, vêtu en pope d'opérette, et qu'il destinait à l'édification d'Ilona (Séraphina, de son vivant, n'était pas exclue, mais dispensée, du fait de sa « condition »), Varlam insistait souvent, en sa langue à la fois bigarrée et bredouillante, sur le destin tragique de la rescapée de Sodome, frappée *a posteriori* pour son absence de repentir, son dévouement au passé, sa faiblesse pour le crime des réprouvés.

Les récits qui enchantaient le plus Ilona étaient de loin ceux de la naissance du Sauveur et de son entrée dans Jérusalem. En eux se rejoignaient l'alpha et l'oméga. La neige mêlée à la paille de Bethléem, les animaux dociles réchauffant de leur haleine le beau poupon laiteux, la grande étoile froide et pure comme un diamant dans le ciel, tout dans cet épisode avait de quoi réjouir une petite fille hermétique au rationalisme fané de son époque. De même, les palmes sauvages accueillant le Christ dans un frou-frou presque amoureux, contrepoint mélodique des coups de corde à venir, résonnaient dans la poitrine d'Ilona exaltée.

Venaient ensuite les Saints Pères. Saint Séraphim était le plus grand. Son visage, disait-on, brasillait dans la prière et appelait de sa fervente ardeur la Mère de Dieu. Puis, après le chant des Psaumes, Varlam arrivait à son point véritable, celui qu'il cherchait à atteindre en tenant serré son fil à travers l'histoire sainte. Et il refaçonnait, hanté par le souvenir, l'idole de Yeva et de son enfant.

Pendant ces séances, Séraphina allait et venait, occupant la plupart de son temps à verser de ses doigts engourdis du sucre sur le front du chat appelé Sakhar. Dounia fumait sa pipe d'herbe à l'écart, les yeux mi-clos, refusant ostensiblement de s'en mêler. Les leçons avaient lieu le mardi, jour de Mars, et les meurtres expiatoires se déroulaient trois ou quatre fois par an, le jeudi, jour de Jupiter.

Ilona, et de cela la vieille dame était encore très fière des années plus tard, avait offert à son père tous les mardis le spectacle de son intérêt absolu, de son écoute totale, son front pur, le papillotement chaste de ses cils, ses genoux soudés ensemble et ses mains jointes, jusqu'au bout de leur vie commune.

Même après qu'Ilona eut perdu les attributs transparents de l'enfance, même après qu'elle fut arraisonnée par les puissances occultes de la puberté, même après que Varlam eut décidé qu'elle était assez mûre pour se teindre du sang de leurs ennemis, même après que Dounia et Séraphina eurent succombé, l'une d'un cancer atroce et l'autre des conséquences d'une monstrueuse hydropisie, et qu'il ne resta plus que leur deux silhouettes penchées sur le Livre à la lueur d'un feu, les vertueux rendez-vous du mardi perdurèrent.

C'est ce que j'ai donné à mon Père de plus beau. Ces soirées à la chandelle de la Bible. Les Châtiments exercés ensemble n'étaient que les exercices de notre tendresse, de notre proximité dans la Foi. Cependant, j'aurais voulu tout lui donner. Et aujourd'hui encore…

Ilona essuya les quelques larmes qui perlaient au bord de ses paupières inférieures, et enfonça son menton dans sa main droite.

Je l'ai tué en lui disant la vérité sur Yeva. Non, je l'ai délivré.

Son premier jeudi. Comment s'était-il déroulé ? Quel âge avait-elle ? Peut-être quatorze ans. Maman et Séraphina n'étaient pas mortes depuis longtemps. Pourquoi était-ce si difficile à situer, tout à coup ? Ilona se concentra. C'était en tout cas quelque temps après le massacre des abeilles, puisque Séraphina était encore vivante quand...

Comme souvent quand elle plongeait trop loin dans l'évocation de son passé, Ilona se heurtait aux limites du même écran. Mais s'agissait-il d'un véritable souvenir ? N'avait-elle pas inventé cette image, qui la hantait depuis si longtemps ? Chaque fois qu'elle évoquait son passé, la vision du seau débordant de corps d'insectes resurgissait. Chaque fragment d'aile formait un vitrail blanc, emprisonnant une lumière garrottée par des lacets de terre noire.

Ilona se massa les tempes, en tâchant d'éloigner cette image funeste.

Il est bien temps de penser à tout cela... Pauvre vieille chèvre pathétique...

Le premier meurtre commis par Ilona sous l'égide de son père eut lieu en plein hiver, au cœur de la grande nuit brejnévienne. Il n'était pas le premier dans l'absolu pour Ilona, mais il fut le premier en connaissance de cause. Ce premier meurtre conscient fut l'aboutissement d'une longue enquête de la part de Varlam. Elle le mena dans la banlieue de Chukhloma, dans les parages quasi hollywoodiens, drapés de noir et blanc monumental, d'un établissement psychiatrique.

La farce tragique de la politique répressive trouvait sous Brejnev son épitomé dans le personnage du psychiatre à lunettes d'écaille et à gros sourcils (réponse soviétique au succès des Marx Brothers), en remplacement du garde chiourme de Goulag. Le culte de la personnalité du Premier Secrétaire, cherchant à disséminer son effigie, à imprimer partout ses traits de clown triste, allié au souci d'ordre de ce régime, culmina dans l'érection massive d'hôpitaux de ce type. Cette obsession était à mettre au compte du goût cruel du Communisme d'État pour le grotesque et la mise en abîme. Varlam, par ailleurs, se souciait peu de sauver des dissidents. Ce n'était pas son objectif.

S'il s'intéressa à cet endroit en particulier, parmi les milliers d'autres qui poussèrent en myriade durant cette époque, c'est qu'il apprit qu'une section y était réservée aux femmes. La poétesse Lemonchika, inoubliable interprète du rêve acméiste, beauté farouche à la jambe de bois, y était internée.

À cette époque de sa vie, Varlam surmontait difficilement une forme aiguë de dépression. Sa femme Dounia venait de succomber, victime d'un mal violent. Le cancer de l'estomac, improprement diagnostiqué par un docteur morphinomane de la clinique de Kokhma, avait essaimé pendant des mois ses métastases. Quand Dounia fut enfin prise en charge par un médecin compétent, un Kirghize mélancolique que l'âpreté des temps avait touché au cœur, il était trop tard. Les radiographies montraient sur tous les organes atteints les taches caractéristiques. Le visage de Dounia demeura impassible sous le regard bridé du médecin qui lui conseillait le courage.

Varlam, qui l'accompagnait ce jour-là, ressemblait à un petit garçon, ou à une marionnette de bois qu'on aurait revêtue d'un costume de laine marron et d'une cravate orange, déguisée d'une perruque et d'une moustache postiche. La raie traçait au milieu du crâne une frontière dérisoire entre deux proéminences cloquées d'égale grosseur, d'un noir de jais, que la brillantine avait plastifiées.

À l'annonce du verdict du médecin, Varlam fondit en larmes, ce qui accentua l'impression de comique piteux, mais aussi de tristesse sans fond. Sa femme le regarda avec compassion, mais ne pipa mot. De retour à la maison, Dounia se coucha dans un coin de la pièce commune, près du feu. Elle dormit jusqu'au matin, enfouie sous des manteaux, veillée par son mari, et par la suite ne quitta plus la position couchée. Elle refusa de se nourrir, de boire et de se soulager avec des remèdes quels qu'ils fussent.

Au fil des jours et des nuits qui suivirent, elle s'abandonna tout à fait aux armées extravagantes qui la démolissaient. Son visage se modela peu à peu pour devenir l'empreinte moulée de la torture subie, les graisses qui en sculptaient les volumes ne laissèrent, dans la débâcle, que les reliefs d'ombres enfoncées, de creusements chimériques, telles les ruines d'un château déserté. Les dents tombèrent une à une. La bouche ne fut plus qu'un trou. Le front, les joues s'éteignirent et prirent l'aspect d'une charogne.

Quand elle mourut, ses tumeurs perçaient sa peau tendue de maigreur extrême. Elle laissa Varlam désemparé. Il avait formé depuis longtemps le projet de se rendre à Chukhloma, où la poétesse croupissait, mais mener à bien son entreprise lui parut tout à coup au-dessus de ses forces. Une longue période de prostration suivit. Varlam revêtit son costume de pope et s'accroupit face aux icônes sans plus bouger qu'un chien sur la tombe de son maître.

Dès lors, Ilona tâcha de prendre en charge les soins de la maison et surtout de pallier l'incurie soudaine de son père.

Or, peu de temps après l'enterrement de Dounia, sa jeune jumelle vit sa santé déjà fragile se dégrader. Fleur adipeuse promise à une vie courte, Séraphina emprunta le chemin inverse qu'avait suivi sa mère pour se rendre au même endroit. Dounia s'était vidée au point d'épouser la forme concentrée de son crabe et de disparaître. Séraphina, elle, se gorgea de liquide séreux. Ilona, livrée à elle-même, incapable de raisonner Varlam ni même de l'atteindre, devint donc la seule spectatrice de sa sœur se noyant dans la marée montante de ses propres œdèmes.

La déficience de Séraphina, scandaleuse depuis l'enfance, se lisait par exemple dans ses yeux trop écartés, ses membres gigantesques, son ventre plissant jusqu'au commencement des cuisses et recouvrant l'aine d'un tablier monstrueux. Dans cette ultime altération, Séraphina devint méconnaissable, sinon par sa chevelure abondante, tissée de blanc et de bronze qu'elle avait héritée de sa mère. L'enflure la déforma encore au point de la faire ressembler à un bouddha faramineux, aux yeux glaçants que les paupières ne voilaient plus jamais.

L'agonie durait depuis sept jours et sept nuits quand Ilona, épuisée, mit à mort Séraphina. Cela eut lieu sans préméditation, dans un demi-sommeil qui, en fait, n'était autre qu'une transe. Ilona somnolait près de la couche de Séraphina et fut éveillée par le ronflement de forge d'une énième crise pulmonaire.

Au lieu de redresser les oreillers de paille et de tendre le seau pour recueillir les glaires, Ilona fut saisie d'une rage incontrôlable et gifla plusieurs fois Séraphina. Celle-ci ne se défendit pas et sembla même encourager sa sœur, d'une œillade éléphantine. L'instant d'après, Ilona pressait de toutes ses forces ses genoux sur la glotte et la poitrine de Séraphina, couvrit son nez et sa bouche, et l'étouffa.

Quand tout fut fini, Ilona roula sur le côté et continua sa nuit, blottie contre le corps monstrueux.

Ilona plongea dans un rêve délicieux où, errante, elle vagabondait parmi les pièces d'un château. Chaque chambre était plus petite que la précédente et demandait à l'Ilona du rêve de passer par une porte plus étroite pour l'atteindre. Au moment de passer par la dernière, une sorte d'entrée de tunnel à peine plus large que ses épaules et dans lequel le corps devait s'insinuer à croupetons, l'Ilona rêveuse ressentit une suavité exquise l'envahir à partir du sexe. Elle s'éveilla dénouée, assainie et heureuse, aux côtés du cadavre de sa sœur.

À tous, la mort parut naturelle, y compris à celle qui l'avait perpétrée. Au-delà de l'horreur provoquée par cette nouvelle perte, Ilona ne put faire taire tout à fait la voix qui se réjouissait d'être débarrassée, enfin, de la sorcière et du monstre qui lui barraient l'accès au palais et au Prince.

Quelle drôle de vie menèrent ensuite Varlam et Ilona. La mélancolie de leur union trouva son socle dans la folie pénétrée de grâce du père et la sensualité mutique de la fille. Ce furent sans aucun doute possible les meilleures années de leurs existences.

L'expédition à Chukhloma eut lieu quelques semaines après l'enterrement de Séraphina. Varlam éveilla sa fille bien avant l'aurore, Ilona avait dormi tout habillée sur sa couchette de bois, recouverte de son édredon brodé. Elle s'étira et sourit. La maison était encore propre du ménage de la veille. Ils se retrouvèrent dans leur minuscule cuisine où brûlaient déjà le poêle et la cafetière, et prièrent à l'unisson.

À l'arrêt d'autocar, ils se présentèrent dans les atours baroques qui étaient de mise en ces temps, lui portant hautement sa brillantine, son costume marron sous sa pelisse de fourrure haillonneuse, et son visage buriné de romanichel dépressif ; elle en bottes de poil aux semelles épaisses, très rigides, remontant à mi-mollets et recouvertes d'une sarafane en viscose. Sur ses épaules, une kurtka matelassée, et sur ses cheveux tressés, un foulard fleuri surmonté d'un large bonnet fourré de mouton. Leur accoutrement passa inaperçu, y compris la valisette contenant un revolver Nagant 738 et un couteau de boucher, mais pas la beauté d'Ilona qui s'allumait comme les yeux phosphorescents de renards écarlates.

La nuit était encore profonde quand ils s'installèrent sur les banquettes, non sans avoir fait valider leurs visas intra-régionaux. Varlam posa la mallette à ses pieds et s'endormit au premier cahot. Ilona colla son front sur la vitre et examina son bonheur, son très vaste et très radieux bonheur. Le soleil était déjà haut quand ils passèrent sur les bords du lac Galichskoye, dont la surface hérissée par les glaces paraissait un long tapis d'ocelot. Varlam se réveilla et ils partagèrent des œufs durs et du pain noir. L'arrivée à Chukhloma eut lieu l'après-midi. Malgré son apparence improvisée, la stratégie de Varlam était éprouvée. Elle montrait une compréhension fine, presque organique de l'esprit soviétique, de son amateurisme dépenaillé, éperdu d'orgueil fou.

Il savait par exemple que pour s'insinuer dans l'hôpital, il suffirait de boire avec le concierge ou de graisser la patte au garde de nuit avec une oie, un lapin, des dessous de femme. Mais que le plus efficace serait de se frayer, à la nuit tombée, un passage par les toilettes du sous-sol, auxquelles un soupirail rouillé menait comme à une grotte sous-marine. Qu'en se coulant sous ces arches, ils atteindraient les vastes colonnades des lieux d'aisance, le ventre ouvragé du labyrinthe. Comment décrire la félicité parfaite d'Ilona, au moment de se glisser par l'étroite ouverture, que la vitre ébréchée rendait semblable à une bouche dentée de diamants. Varlam passa en premier et épaula sa fille à la descente.

Aucune intimité ne serait jamais à la hauteur de celle qu'ils partagèrent durant les instants clandestins qui suivirent, en traversant ces galeries soviétiques, dont chaque cuvette se dressait dans la pénombre comme la statue d'un dieu tutélaire, que le bruit doux des clapotements accompagnait d'une lyre secrète.

Bien plus tard, quand son père fut mort et qu'Ilona fut réduite au destin d'une beauté orpheline, elle voyagea pour le compte de Gleb. À Istanbul, elle retrouva dans la citerne-basilique de Yerebatan la prégnance sacrée qui lui avait broyé le cœur dans les latrines de l'hôpital psychiatrique de Chukhloma. Et elle faillit s'effondrer devant la tête de Méduse, posée de guingois sur la pierre, qui la fixait de ses paupières en peau de lait vert.

— Mina, tu es là ?

Ilona avait lancé cette question tandis qu'elle somnolait encore, assise d'aplomb sur sa chaise de cuisine, enveloppée dans son châle. Elle qui sentait d'habitude rouler dans ses veines un sang de quinine, tinter des ossements de fer, fléchissait tout à coup, prise d'une fatigue lourde comme un poids attaché aux chevilles.

Une petite vieille affaissée, c'est ce à quoi elle ressemblait. Dans la pénombre, les rides accentuées redessinaient les contours de son visage. Elle se redressa, honteuse de son assoupissement, et reprit d'une voix enrouée :

— Tu es descendue, ma fille ?

Mina ne répondit pas. Elle se tenait derrière Ilona, la taille ceinturée de ses bras maigres, les épaules relevées jusqu'à la naissance des oreilles. Elle portait un pull rayé blanc et noir, en laine angora, qui recouvrait son buste menu. Le corps de Mina, toujours frémissant de froid, était délicat, aux proportions miniatures, poupée aux membres de bois et aux articulations de fer.

Les jambes étaient galbées, mais amaigries par les jeûnes incessants, de même pour la poitrine, minuscule boîte thoracique. Mina avait hérité de la qualité de peau de sa mère. Et elle resplendissait comme sa mère, du moins jusqu'à la naissance de la nuque.

Passé ce cap, la tête figurait une apparition révoltante. Non pas que Mina fût laide de naissance, des traces de sa beauté passée subsistaient dans l'arc des sourcils, rescapés de sa manie de s'arracher fil à fil toutes ses toisons, et dans le magnifique orbe de son œil, pourtant privé de cils et fardé de cernes noirs comme le trou d'une mine. Le visage de Mina était ravagé par une gale roussâtre.

De son père supposé, elle tenait cette chevelure crépue, noire comme un jet d'encre, qui lui consumait le crâne à la manière d'une ombre enflammée. Mais le maintien de fée n'appartenait qu'à elle.

Ilona se leva en ajustant son châle sur ses épaules et se frotta les paupières. Elle quitta sa chaise et fit face à sa fille, qu'elle contempla quelques instants tandis que Mina gardait les yeux baissés.

— Laisse-moi te préparer ce que tu préfères, mon abeille, *ptchelita maia*. Des gaufres au miel, ça te plairait peut-être ? Ou un bouillon de queue de bœuf, ça te remettrait d'aplomb ? demanda Ilona.

Mina secoua la tête.

— Maman...

Ilona se raidit. À cette seule inflexion, il devint clair que Mina savait. Elle chercha le regard de sa fille, pour le sonder, sans y parvenir. Mina se dérobait. Aussitôt Ilona eut honte de lui avoir caché le message de Gleb.

— Tu as lu le message ?

Mina haussa les épaules.

— Tu ne crois pas Gleb capable de me faire parvenir un message, rien que pour moi, même si ça t'enrage ?

Ilona reçut le coup sans broncher, accoutumée aux reproches de sa fille.

— Nous avons encore le choix de fuir, tenta-t-elle sans y croire.

— Non. Nous ne fuirons pas, pas cette fois. Tu ne me forceras pas. Cette vie que nous menons... Tout cela doit cesser, tu le sais, d'une manière ou d'une autre. Tu...

Mina hésita. La douceur de sa voix butait sur une fatalité épuisante.

— Tu ne dois pas nous empêcher de nous revoir. Tu ne peux pas... m'empêcher de l'aimer. Il faut que tu me laisses aller à sa rencontre... Tu nous as séparés... Nous ne pouvons être séparés, lui et moi, tu le sais...

Ilona secoua la tête.

— Tu ne peux pas parler sérieusement. Après ce qu'il t'a fait, tu ne peux pas... Écoute-moi. J'irai chercher l'enfant, moi seule, j'irai au rendez-vous. Je te promets de la ramener, Gleb doit l'avoir avec lui, j'en suis sûre. Laisse-moi négocier avec lui, je t'en supplie. Je sais à quel point tu souffres de ne pas l'avoir près de toi, il n'y a rien de plus terrible pour une mère, j'en sais quelque chose, ma chérie. J'ai commis une erreur en t'arrachant à elle, en l'abandonnant aux griffes de Gleb. Mais comment pouvais-je savoir que tu avais accouché ? Quand je suis venue pour te chercher, j'ignorais tout de ton état... Je ne savais rien !

— Non, tu refuses de comprendre. Il n'y a que lui. Il n'y aura jamais plus que lui. C'est d'être loin de lui qui me tue.

Ilona baissa les yeux. Délivrer Mina du bordel où Gleb la tenait recluse n'avait servi à rien : les éclaboussures de sang teignant les murs, les balles mouchetant les poitrines, les bras, les visages, l'odeur de poudre et de chairs blessées. Tant de sang versé pour une liberté dont Mina ne voulait pas.

Un an s'était écoulé entre la disparition de Mina à Marseille et sa délivrance à Londres. Une année entière, Mina était restée enfermée par Gleb, livrée à sa perversité, attachée, vendue, martyrisée. Enceinte, elle avait été privée de soin, affamée, humiliée. Son enfant, à peine né, lui avait été enlevé. Comment comprendre que ces blessures répétées ne feraient qu'exhausser l'amour de sa fille pour son bourreau ? Comment effacer ces outrages, rendre Mina à sa véritable nature ?

Ilona avait perdu trop de temps à la chercher, de fausses pistes en guet-apens, elle avait laissé Mina croupir sur son lit de douleur et sa culpabilité n'aurait jamais de fin.

— Je t'accompagnerai, *ptchelita*. Accorde-moi cela, au moins.

2

La messe débuta avec un chant grêle, qui ne parvint pas à couvrir le bruit de la tempête. Siméon demeura quelques instants derrière une colonne avant de faire son entrée. Son aube, qui lui avait été remise par Henriette le premier jour de ses fonctions, avait appartenu à un prêtre plus petit que lui. Siméon en concevait une grande honte : sa robe étriquée dévoilait non seulement ses chevilles, mais la jambe jusqu'à la naissance de ses mollets, et moulait sa poitrine et son ventre sous l'étole. Dans une poche de son costume se trouvait le texte plié en quatre de son homélie, qu'il triturait, la tête tournée vers un vitrail allumé d'une éclaircie.

Siméon n'osa pas chercher du regard avec insistance, dans l'assemblée, la femme nommée Eva qui était venue le voir en confession plusieurs semaines auparavant. Elle lui avait dit qu'elle reviendrait et lui avait fait promettre de l'accompagner quelque part, mais où ? Quand l'expédition aurait-elle lieu ? Et pourquoi avait-elle précisé qu'il connaissait « cette langue » ? De quelle langue voulait-elle parler ? Siméon en maîtrisait au moins quatre... Depuis son départ précipité, elle n'avait plus donné le moindre signe et Siméon guettait son retour, avec une appréhension de jeune homme.

Il s'aperçut que le chant d'entrée était achevé et qu'il n'était toujours pas parvenu à l'autel. La vieille cheffe de chœur l'appelait d'un regard mouillé, le menton tremblant d'un soupçon de parkinson. L'orgue retentit, déferlant en guise d'alarme. Siméon se hâta dans la travée centrale, ses doigts noirs relevant ses jupes, et d'un bond il rejoignit l'estrade. Aussitôt, il arbora un masque neutre pour faire face aux fidèles.

Du coin de l'œil, pendant qu'il ouvrait les bras pour bénir l'assemblée et entamer les antiennes de pardon, il aperçut Eva, dans le fond de l'église, enveloppée dans son manteau en poil de chameau. Son cœur s'emballa brusquement, ce qui ne manqua pas de l'agacer. Siméon ficha d'abord son œillade à la va-vite. Puis, tandis que l'assemblée se rasseyait et que la lectrice cacochyme de l'Ancien Testament débutait son récit (« Ah ! Si tu déchirais les cieux, si tu descendais... »), Siméon observa à la dérobée que la femme s'était endormie, la tête engoncée dans son col, appuyée sur une colonne. Le visage relâché par le sommeil avait quelque chose de remarquable, parmi les physionomies tavelées des priants, et rayonnait comme celui d'une madone.

La lecture d'une lettre de saint Paul succéda à celle d'Isaïe. Siméon annonça l'arrivée du Livre de sa voix de basse. Chacun se signa, une petite croix sur le front, la bouche et le cœur. L'Évangile du jour était tiré de saint Marc. Ce fut Siméon lui-même qui le chanta. D'un souffle, passé par la flûte de ses lèvres contractées, il hypnotisa les somnolences.

Veillez, car vous ne savez pas quand viendra le maître de la maison.

Chaque fois qu'il chantait, il retrouvait les accents moelleux du Fongbe au fond de sa langue, un ramage au gros dos emplissait son gosier, arquait son palais de phonèmes éteints depuis longtemps.

Tandis que les fidèles se rasseyaient, Siméon saisit la feuille où était consigné son sermon, jeta un regard aux quelques phrases inscrites de son écriture d'écolier, presque effacées par endroits, et ressentit un serrement aigu, une sorte de crampe à l'estomac. Siméon n'écrivait plus de nouvelles homélies depuis son installation en Bretagne. Il réutilisait celles qu'il avait récitées à Bayonne, à Évreux, à Metz, dans tous ces villages et ces bourgs où il avait servi avant sa mutation dans ce coin reculé du monde. Pour la première fois pourtant, Siméon se reprocha d'avoir bâclé son travail et mesura à quel point il se sentait abandonné.

Le texte du jour était d'une grande beauté, lumineux, un appel à la vigilance du cœur, à la tendre présence du divin. Son commentaire respirait la tristesse accumulée, la colère lâche, la stérilité indigne. Siméon soupira. Il ne lui restait plus qu'à le proposer à l'assemblée, en espérant que la belle dormeuse ne se réveillât pas. Ce qu'il dirait serait toujours assez bon pour les vieilles habituées, qui n'entendaient plus de toute façon que le ronronnement des consonnes, qui les réconfortait. Une fatigue l'envahit dès qu'il eut chassé cette pensée. Les mots s'enchaînèrent, gutturaux et vides.

Siméon se tut, puis retourna s'asseoir à la droite de l'enfant de chœur. Il opéra un jeu de manches pour découvrir ses mains, les agrippa l'une à l'autre et attendit que les instruments de la transsubstantiation s'alignassent sur l'autel.

Siméon se souvenait d'un temps où il n'était pas encore cette bête réfractaire, où dans son existence il y avait eu une trouée de grâce.

Il y avait trente ans de cela, quand, après bien des errances, il s'était installé à Rome pour embrasser sa vocation, il croyait encore en Dieu avec la candeur d'un enfant. Et il ne comptait pas ses heures d'étude. Il s'enflammait pour un vers, une image, en poursuivait, non pas le sens, mais la proximité, le cœur à cœur secret.

La lecture d'un texte comme celui de ce dimanche aurait jadis soulevé sa tendresse. Il y avait eu un temps où cette évidence-là guidait sa vie.

Rome. Que de tribulations pour y parvenir.

Siméon y avait vécu quatre années, les meilleures de son existence.

Cette période passée dans la solitude volontaire, sans cesse reconduite malgré les obligations collégiales de sa formation, avait constitué une longue latence et une guérison. Siméon avait renoué avec le silence connu à l'orphelinat d'Oyem, avec la sensation de l'indicible. Siméon priait sur les esplanades de la Cité, sous les dômes aux coloris d'entrailles, prolongeait ses ambulations jusqu'aux ponts ocre bordés de platanes du Trastevere et dans les ruelles éclairées de vert par le fleuve.

Cet élan l'avait guidé durant plusieurs années, avait motivé son errance, apaisé ses doutes.

Pourtant, la grâce s'était tarie. Siméon, depuis longtemps déjà, s'était laissé reprendre par ses angoisses, usé par les gens, les choses. Le rayonnement de la parole christique avait pâli pour lui, définitivement.

Sa conversion avait eu, en son temps, des sources si mystérieuses, qu'à présent sa réalité elle-même paraissait s'effacer comme les contours d'un rêve. Elle s'était produite tandis que, au département d'économie agraire de l'université Jdanov de Leningrad, Siméon vivait dans le dernier cercle de l'Enfer, celui des étudiants des États communistes africains exilés dans les universités soviétiques.

À la proclamation du Dahomey indépendant, Siméon était tout juste en âge d'étudier au collège. Les accords qui furent scellés avec Moscou incluaient l'invitation lancée aux meilleurs sujets béninois de se transplanter en terres russes pour s'y voir prodiguer la crème du savoir socialiste.

Siméon, trop jeune, ne fit pas partie des premiers élus qui appareillèrent vers le guet-apens, et l'écho des mâchoires de fer se refermant sur ses frères ne lui parvint pas.

Sa vie d'enfant bascula lors du coup d'État. Avec l'avènement du tyran Mathieu Kérékou débuta une brève, mais très intense chasse aux sorcières, dont la famille adoptive de Siméon, en tant que riches opposants et cibles désignées des proscriptions, fit les frais. Marie-Michelle, en particulier, devint le symbole de cette Afrique arriérée, tribale et sanguinaire dont le régime cherchait à purifier le pays. Le scandale de sa relation avec les plus hauts dignitaires de l'ancien système fut brandi comme un étendard par le nouveau.

L'étendue de ses crimes fut exposée : potions de fertilité, de jeunesse, de santé sexuelle puisées dans les corps démembrés, palpitants, d'enfants innocents raflés dans l'uberlumpen des Lagunes, charniers, messes noires, possessions, etc. Marie-Michelle devint la Gilles de Rais béninoise – ou plutôt la Brinvilliers, dont les cendres sans repentance, aux dires de Madame de Sévigné, polluèrent la surface de la Seine.

Le procès débuta en pleine saison des pluies, alors que de monstrueux orages se déversaient sur la terre battue des jardins, sur les ponts des cargos amarrés aux docks, sur les feuilles des manguiers, tambourinant partout, dévalant les pentes des collines boisées telle une armée de bacchantes. Enroulés aux branches, aux perchoirs, aux grilles des cages, resserrées les unes contre les autres, les bêtes s'arrimaient pour un long coït de survie. Malheur à celles qui ignoraient cet instinct : on les retrouverait bientôt en vrac, sabots et cornes, poils, becs, emmêlés au fond d'une tranchée d'égout obstruée par des sacs en plastique.

Le palais de justice était un magnifique bâtiment situé au milieu d'une palmeraie, un long rectangle d'architecture coloniale, percé de fenêtres en arche. L'arrestation de Marie-Michelle et de son mari avait eu lieu quelques semaines auparavant. Le petit Siméon avait été confié à une « dame de maison », une dénommée Marie-Cerise, qui était chargée du repassage et de diverses tâches de cuisine chez les Gnonlonfoun. Siméon la connaissait à peine, car elle venait d'entrer au service des maîtres quand la chute de leur maison avait débuté. Comme elle avait elle-même participé aux dénonciations, elle avait été innocentée d'emblée, tandis que tous les autres domestiques avaient été interceptés dans la nasse.

Siméon suivit sans broncher Marie-Cerise dans son bidonville du quartier de Zongo. Elle-même ne posa aucune question, n'exprima aucune émotion. Elle installa l'enfant (Siméon entrait dans sa douzième année) à sa table et lui servit une purée crémeuse à base de crevettes pêchées dans le marigot. Siméon se régala en silence. Marie-Cerise lui montra sa couche et s'éclipsa pour filer à une réunion du tout nouveau comité de quartier. Durant la préparation du procès, il vécut ainsi sous le même toit qu'un témoin déterminant pour établir les charges menant à l'exécution de sa « nouvelle mère », ainsi qu'il lui arrivait encore d'appeler Marie-Michelle.

Siméon aimait les fesses énormes de Marie-Cerise, très haut perchées, qui paraissaient deux cymbales d'orchestre trémulant sous la rayonne de sa jupe. Il aimait son indifférence et la pâtée qu'elle lui servait (toujours de ces plats bigarrés, mêlant bestioles ramassées et légumes). Siméon se couchait tous les soirs sans douter un seul instant qu'il venait d'échapper à la mort, mais se rappelant de moins en moins pourquoi. Les souvenirs de sa vie chez les Gnonlonfoun s'effaçaient peu à peu.

On sembla oublier Siméon sous son toit de tôle. Puis on lui demanda de comparaître comme témoin, donc de pénétrer dans l'édifice colonial et de siéger sous les lambris. Siméon obtempéra. On l'assit, vêtu d'un costume de laine bleu marine, tout près d'une fenêtre métamorphosée par les cataractes de pluie en un frontispice grimaçant. D'où venait ce costume ? Qui le lui avait donné ? La sensation râpeuse de la laine frottée contre l'eau de sa sueur le gênait. Siméon n'écoutait rien des procédures. Il se contentait de contempler les visages masqués de longues cagoules qui apparaissaient sur le théâtre des vitres. De temps en temps, il jetait un œil sur les acteurs du procès, mais préférait encore ses personnages inventés aux horribles bouches qui proféraient des mots par rafales.

Marie-Michelle tenait tête avec un aplomb surnaturel à la cohorte des accusateurs. Elle trônait comme une reine dans le box tapissé de velours. À chaque nouvelle accusation, elle sifflait d'un air dédaigneux et levait les yeux au ciel. Son séjour en prison dans l'attente de sa comparution l'avait rendue plus terrible encore qu'au temps de son pouvoir absolu. Sa chevelure privée de soins avait pris l'aspect de ces bosquets orange du bord des routes bruissant d'oiseaux emprisonnés. Ses yeux cernés, aux globes aussi jaunes que des citrines, veinulés de rage, lançaient sort sur sort à une assemblée à la fois affamée de vengeance et impressionnée par ce personnage qui affrontait la torture avec le mépris souverain de qui jouit de protections divines. Son corps brisé par les interrogatoires se tenait toujours droit.

Quand on appela Siméon, celui-ci s'arracha à une longue rêverie. Il s'avança à petits pas, la tête baissée, vers sa place désignée. Siméon s'approcha de la barre, sans savoir ce qui l'attendait. Il s'y agrippa, en glissant un regard à Marie-Michelle qui le fixait depuis sa cage. Il ne vit pas tout de suite l'homme qui se tenait près de lui pour lui poser des questions.

Il fut très surpris d'entendre que, dans la présentation de son état civil, on l'appelait par un autre nom que Gnonlonfoun. Siméon fit un effort pour tourner la tête et observer celui qui semblait en savoir si long sur lui. C'était un vieillard chauve, au crâne luisant comme un bouton de porte en cuivre, vêtu d'une toge noire aux bords d'hermine synthétique jaunie par l'humidité, aux longues manches de prestidigitateur. Sa face était creusée de rides, renfrognée et tachée d'éphélides. Tout son discours fut prononcé en fongbe.

— Est-il vrai que, dans votre petite enfance, vous avez passé plus de cinq ans dans un orphelinat d'Oyem, au Gabon, après avoir été recueilli par des chasseurs, tandis que vous erriez dans la forêt à une centaine de kilomètres de là ? Que vous êtes né en pays Fang, de parents pygmées ? Que vous êtes le seul survivant du massacre de votre clan ? Vous ne répondez pas ?

Siméon, en effet, gardait le silence, abasourdi. L'homme sourit, en se tournant vers le public.

— Vous n'avez pas besoin de répondre. Ce sont des faits établis par des témoins irrécusables. D'après nos recherches, vous n'êtes d'ailleurs pas né de n'importe quels parents pygmées...

(L'assemblée bruissa d'étonnement.)

— ... vous êtes le fils de Soryana Abaya, sorcière notoire du monde aka et égérie de la diaspora pygmée gabonaise. Vous êtes son unique fils, Siméon – ou devrais-je vous appeler Esimba ? Et vous êtes le dépositaire de son pouvoir. Sinon, comment auriez-vous survécu, expliquez-moi ?

À ces mots, un petit monsieur que Siméon n'avait pas remarqué et qui semblait, dans la silhouette et les proportions, le frère jumeau du premier avec sa robe et son crâne chauve, intervint comme un diable sorti d'une boîte à ressort. Toujours en fongbe, il vociféra :

— Nous ne sommes pas là pour juger les pygmées du Gabon et leurs pratiques, confrère Moumouni ! On ne peut pas reprocher à un orphelin les agissements de sa mère, surtout s'il ne l'a pas connue. Vous spéculez sur des chimères quand nous devrions nous fonder sur la seule raison !

— Cher confrère Vladonou, vous ne pouvez ignorer que l'accusation a besoin de prouver que l'accusée savait, en adoptant le petit Esimba Abaya, qu'elle recueillait une force magique considérable, qu'elle est allée le chercher jusqu'au Gabon afin d'accroître son pouvoir maléfique en l'assaisonnant de rituels pygmées dont le petit connaissait à coup sûr le secret ! Que son but ultime était de mettre à mort l'enfant pour s'en nourrir et que…

— Confrère Moumouni, vous admettez que cet enfant n'est qu'une victime, le support du délire d'une meurtrière psychopathe !

Moumouni, en bon acteur, plaça ses mains en avant pour signifier le calme. Le président, dont la superbe coiffe était frappée d'un blason vert et or percé d'une étoile rouge, au cœur d'une ronde de maïs stylisés, grommela. Moumouni reprit.

— Venons-en au fait, alors.

Mais Siméon n'écoutait plus. La voix de Moumouni ne lui parvenait plus. Celui-ci s'acharna encore longtemps pour essayer de faire admettre à Siméon qu'il était présent lors des sessions de magie noire (ce qui était rigoureusement vrai), mais Siméon refusa de répondre. Non par bravade, mais parce qu'il n'était plus qu'un spectre. Les témoignages suivants concordèrent pour dire que l'enfant était drogué les soirs de séances et transporté sur une litière comme un petit empereur, maquillé et paré pour une orgie.

Il y eut encore de longs développements judiciaires, mais on n'appela plus jamais Siméon à la barre. Le procès continua dans un climat d'hystérie et Marie-Michelle fut condamnée à l'unanimité. Au moment du verdict, celle-ci se dressa de toute sa masse et partit d'un rire épouvantable qui découvrit ses dents, ses gencives et sa langue démesurée. Elle maudit toute l'assemblée en fongbe avant d'être assommée par deux gardes.

Quand tout fut fini, Siméon fut enlevé à Marie-Cerise et, livré à lui-même, il rejoignit la cohorte des pupilles de l'État dans le foyer de réhabilitation pour délinquants du quartier Jéricho. « Ni Dieu ni mère », avaient l'habitude de plaisanter ses congénères, tous de petites frappes traînant en sandales et en short dans les dédales du marché couvert. Toute la journée, ils fumaient du caporal et des herbes villageoises. Les yeux teintés d'albumine tremblant de fièvre et battant de longs cils, ils s'abîmaient dans des débats sans fin sur les lendemains chantants du communisme.

La révolution kérékiste avait mordu ces jeunes au talon à la manière d'une tarentule. Nombre d'entre eux, les plus énergiques (c'est-à-dire ceux que l'alcool de palme et la ganja n'avaient pas gaspillés), s'agglutinèrent aux milices, ou rentrèrent dans l'armée. Les autres, qui devinrent les compagnons de Siméon, se contentèrent de piaffer leur enthousiasme ou leur révolte, sans lâcher leurs vieilles habitudes.

Personne ne semblait se soucier de son passé. Pourtant, il y avait dans ces groupes des frères, des cousins de ces victimes que Marie-Michelle avait dépecées, démembrées, transformées en amulettes, pilées en potion, peut-on savoir quoi d'autre encore… ? Après le procès, on repartit de zéro.

Siméon devint plus docile encore qu'il ne l'avait jamais été. Il fréquenta l'école où il se distingua par son extraordinaire mémoire et sa capacité de concentration hors du commun. Ce fut aussi durant cette période que Siméon développa son obsession pour la nourriture, toujours insuffisante à son goût. À l'occasion de grandes fringales, qui surgissaient à horaires réguliers dans sa journée d'étudiant, Siméon sortait de sa réserve pour aller glaner au marché des pattes de bête boucanée, deux ou trois mangues, des brochettes pimentées, du beurre de cacahuète. Il y saluait ses copains du foyer Jéricho, puis retournait s'enchaîner au travail.

Sa puberté fut très tardive, sa pilosité inexistante et sa voix fluette le désespéraient. Mais surtout son sexe maigre ne grossissait pas sous sa main. Siméon épaissit tout d'un coup, en quelques jours, durant l'été précédant son entrée à l'université nationale du Bénin. Il était le seul pensionnaire de l'établissement pour délinquants qui accédât à ce niveau d'instruction. Ses maîtres en étaient fiers. À sa manière obtuse, Siméon l'était aussi.

Siméon, devenu presque obèse, s'abrutissait de chiffres et de formules apprises par cœur, photographiées et fichées par son cerveau. Rien ne le rassasiait, il y avait toujours une petite place pour davantage de nourriture, davantage de savoirs. Deux ans passèrent. Il fut sacré meilleur élève de sa promotion dans l'unité scientifique du département d'économie agraire et fut envoyé dans la foulée à Leningrad pour compléter sa formation, conformément aux accords unilatéraux signés avec le Grand Frère.

On imagine sa stupeur en découvrant les paysages urbains monumentaux, les artères asphaltées et les reflets flamboyants du fleuve sur les vitres des bâtiments riverains. Ce qui l'impressionna en particulier, ce fut la levée des ponts autour de minuit. Quelques jours après son arrivée, les premiers flocons tombèrent sur la ville. Siméon eut le réflexe de s'en protéger comme d'une manne sulfurique. Plus de nuits grouillantes et sombres comme à Cotonou, mais une lumière implacable, glacée qui parvenait d'un astre polaire.

Le communisme, dont il ne connaissait que la version béninoise, lui avait très tôt paru une farce de collégiens (de collégiens meurtriers à leurs heures). L'édifice idéologique n'était, selon lui, qu'un prétexte pour canaliser un flux de vie, assécher les pulsions dans l'action collective, récupérer l'espoir du peuple, s'en faire un coussin et s'asseoir dessus. Jamais il ne serait venu à l'idée de Siméon de proclamer ces théories. Kérékou, après une période un peu trouble lors de sa prise de pouvoir, s'était comporté comme Auguste, en pardonnant et en réitérant son vœu de bâtir la prospérité. Certes, il y avait eu des débordements, des roulements de muscles, mais qui devaient fonctionner en catharsis, pour purger les mécréants libéraux, ou ceux trop attachés aux traditions sclérosantes. Certes on avait dansé sur la dépouille du traître Michel Aipiké, le ministre de l'Intérieur épuré sans trop de tact, certes il avait fallu attendre onze ans pour que les anciens présidents Maga, Apithy et Ahomadegbé fussent relâchés de leur geôle. Mais ce n'était que des enfantillages, au fond.

À Leningrad, Siméon découvrit le cœur du réacteur soviétique, capable de diffuser à distance le rayonnement du vrai communisme. Du communisme battant de son très vieil organe, digérant de ses très vieilles entrailles, s'actionnant de ses très vieilles machines. Siméon comprit qu'il ne s'en tirerait pas, comme il l'avait toujours fait, en restant somnambule. Qu'au contraire, il lui faudrait s'armer de toute sa vigilance, bander sa prudence comme un arc, tant il était évident que ce pays était une zone de chasse et une forêt piégée, bien plus profonde que celle du pays Fang.

De la langue russe, il ne se méfia pas d'emblée. Sa nature était, pour lui, végétale, du côté de l'arbre fruitier, avec ses agglutinations de bourgeons vocaliques et la rondeur de cerise qu'elle mettait dans la bouche. Le russe livresque lui apparut comme une délicate floraison, là où l'articulation du fongbe semblait carnée. Les deux langues se dégustaient de manière différente. Mais en approfondissant sa pratique, Siméon conçut enfin que ces ramages floraux se nouaient à des tiges d'acier, comme autant de ressorts actionnant d'innombrables trappes. Le présidium brejnévien déclinant concentrait sa manœuvre dans l'appauvrissement méthodique de la langue. Le russe officiel, bureaucratique, émondait sans pitié les arborescences de cerisaie, mettait à nu le piège. Au moment d'acheter du pain dans une *khlebnika* obscure, au moment de rédiger une dissertation, au moment de demander son chemin à des passants fantomatiques dont les silhouettes divaguaient dans le brouillard, Siméon butait contre l'appât du même collet. Chaque prise de parole était un procès, où des charges inconnues pesaient la vie et la mort. La surveillance était installée dans la matrice des mots.

Siméon n'avait pas imaginé non plus aller à la rencontre d'un peuple de morts-vivants. Sans doute l'enthousiasme du futur exilé avait-il idéalisé la mise en scène de la joie de vivre, à travers les planches photographiques affichées par la propagande kérékiste, les sourires des danseurs folkloriques, les yeux pétillants des jeunes femmes blondes savourant, en minijupe, une *morojnie* sur la place Rouge, l'éclat des œillets portés par les soldats de la plus grande armée du monde. Une fois là-bas, il découvrit un prolétariat livide

(Siméon n'avait jamais vu autant de Blancs d'un seul coup), chacun traînaillant sa pelisse et son visage cireux de magasin en magasin, de queue en queue, de bureau en bureau, sans distinction de sexe ni d'âge.

Dès qu'il fut plus aguerri dans la maîtrise de la langue, Siméon s'aperçut que sa peau noire était l'objet d'un dégoût révolté, exhibé haut et fort en toute occasion. On ne l'appelait pas seulement *Tchornik*, « noiraud », mais plus souvent encore *Tchiortnik*, « démon ». Dans la rue, dans le bus, parfois même sur les bancs de l'université ou dans les sous-sols de la buanderie, des gens venaient à lui pour le tâter, comme on examine une plaie, une relique. Il s'agissait de vérifier la consistance du Noir ; certains en perdaient même leur coutumière apathie, s'autorisaient à rire, crachaient par terre, invitaient des proches pour partager leur surprise. Dans toutes ces occasions, Siméon fuyait dans sa cellule.

D'autres étudiants africains, de Guinée, du Congo, de Madagascar ou de Somalie, vivaient dans la leur depuis plus longtemps que lui, glacés, dénutris, terrorisés. De sa fenêtre, Siméon contemplait le golfe de Finlande recycler le vieux ressac de ses vagues phosphoriques, en se demandant si le cornet crémeux de la *vatrouchka* qu'il avait réussi à se procurer aux abords du métro lui suffirait comme repas du soir, ou s'il lui faudrait descendre à la cafétéria et risquer de provoquer encore les jeunes aryens habitués du lieu.

Puis un événement tragique fit basculer la situation.

Deux étudiants noirs s'étaient retrouvés pris à partie et, encerclés sans défense au beau milieu des jardins enneigés du campus, ils avaient dû danser nus dans la neige pour ravir leurs bourreaux avinés du spectacle aristocratique (Elisabeth Ier le prisait, paraît-il) d'une belle peau noire allumée de sueur, disposée en parataxe sur la scintillante blancheur. Le divertissement avait reçu de nombreux rappels, et les étudiants étaient morts.

Une onde de panique se répandit dans l'aile africaine des dortoirs. On craignit une Saint-Barthélemy. On n'osa même pas faire une veillée pour les pauvres hères congolais assassinés. D'ailleurs les corps avaient disparu dans le grand sac prestidigitateur des roueries diplomatiques. Chacun chercha à prendre les dispositions d'une fuite. Mais où pouvaient-ils fuir ? Leur destinée était désormais celle de Crassus « engagé chez les Parthes sans savoir comment il en sortirait ». La débandade n'était pas une option, pas plus que la miséricorde du Parti. Piégés, faits comme des rats, tel était leur sort.

Une sorte de cassure s'opéra. La grande ombre que Siméon avait passé sa vie à repousser l'avala tout entier. Il se terra avec méthode. Il refusa de retourner en cours, ne se lava plus, se mit à se nourrir des restes laissés par ses camarades sur le balcon mitoyen. Il redevint maigre comme un lacet, vide aussi de toute science. Il dormait la journée, enroulé dans une couverture en laine synthétique et laissait venir à lui des rêves effroyables. La nuit, il veillait en position de lotus, serrant contre sa poitrine un tire-bouchon transformé en poing américain et une petite hachette ramenée en souvenir de Cotonou. Des semaines passèrent ainsi. Siméon devint à la longue une sorte de spectre, ou de bouddha immobile. Ce qu'il visait, c'était la disparition, l'invisibilité.

Il aurait pu mourir dans cette cellule encombrée de déchets. On l'aurait retrouvé au printemps comme un edelweiss à la fonte des glaces, ou bien dans la nuit des temps, réduit en cendres. Mais quelque chose se produisit.

Une nuit encore assez blanche, tandis qu'il jeûnait depuis plus de trois jours et qu'il n'étanchait sa soif qu'au rebord suintant du linteau de sa fenêtre, Siméon finit par connaître une extase. Cela le prit par surprise. Il y eut d'abord cette sensation intense de chaleur, presque torride, que par synesthésie Siméon visualisa sous la forme de flammes rousses et goûta comme la vapeur exquise sortie d'une pipe d'opium. Son corps quasi momifié se desserra comme si tous les liens qui le sanglaient s'évanouissaient. Seuls les bruits alentour, ceux du couloir et ceux traversant le plafond, lui parvenaient encore. Il ne s'était donc pas assoupi, ce n'était pas un rêve. Un instant (combien de temps ?), Siméon transformé en halo tournoya sur lui même.

C'est alors qu'un ange lui apparut. Ses pieds nus et ses ailes traînaient dans la poussière. Ses yeux de biche soulignés d'un trait de khôl lançaient des éclairs doux. Sa voix très mâle jurait avec sa silhouette délicate. Mais si haute ! Elle touchait presque le plafond.

Un bateau t'attend qui te mènera en Finlande. Le Seigneur tout-puissant a entendu ta souffrance et accepte de te prendre sous sa garde. N'oublie pas, sur le quai Ostrovski, un dénommé Aatami. Il se fait appeler Igor. Une fois en Finlande, tu chercheras à suivre les pas du Seigneur. Tu deviendras prêtre et tu serviras le vrai Dieu.

L'ange disparut. Siméon ouvrit les yeux, se redressa, rempli d'effroi. Pris d'une sorte de panique, il fit plusieurs fois le tour de lui-même, cherchant l'apparition et piétinant de ses larges plantes de pieds les déchets qui recouvraient le sol. Il se dévêtit de sa couverture, puis enfila sa canadienne. Au moment de sortir pour rejoindre le quai Ostrovski, il se signa du signe de la croix. Il était incapable de donner le moindre sens aux événements qui venaient de se succéder, mais son cœur se dilatait comme s'il venait de rajeunir.

Quelques heures plus tard, Siméon traversait à fond de cale le golfe de Finlande, caché derrière des caisses de tungstène, et parvenait à Helsinki. À partir de là, son histoire s'était arrimée à la parole du Christ, découverte, enfin, comme son port d'attache véritable. Sa docilité, sa soif de connaître, sa douceur fondamentale en firent longtemps un excellent apôtre.

Pourtant, qu'en restait-il, trente ans plus tard ? Une partition répétée jusqu'à la nausée, une routine embaumée et l'impression, brûlante comme un incendie, d'avoir cédé à une ultime supercherie.

— Vous priez, mon Père ?

Siméon demeurait immobile, assis dans une stalle à côté de l'autel. La messe était finie, tout le monde avait déserté, sauf Eva. Il avait donc opéré la dernière étape, la *metousiosis*, si redoutée. Il y était parvenu, mais comment ? Il ne s'en souvenait plus.

— Non, je ne prie pas, dit-il en s'essuyant le visage couvert de sueur.

Eva se tenait devant lui, insistante et fraîche. Si fraîche.

— Le temps presse, elle va bientôt mourir...

— Qui ça ?

— Eh bien... Ma grand-mère. Elle... semble vous réclamer. Pour la confession, vous comprenez que le temps est venu à présent ?

— Elle me connaît ?

— Non. Je n'ai pas été précise, elle ne vous connaît pas. Mais vous seul pouvez la comprendre. Dans la région. Personne d'autre que vous ne parle le russe je crois.

— Le russe ?

— Oui, elle parle russe, je me suis renseignée. Cela faisait des jours que je m'interrogeais. Je pensais qu'elle retrouvait le breton de son enfance. Mais cette langue, celle qu'elle parle, c'est du russe, croyez-moi.

— Comment se fait-il que…

— Je n'en sais rien. Si vous saviez comme je n'en sais rien.

3

Mina et Ilona n'ont plus rien à ajouter à la suite de leur conversation. Ilona prend acte en silence de la décision de sa fille. Elles iront donc à leur destin, puisqu'il ne peut en être autrement. Quand l'heure arrive, elles sortent de leur maison.

Elles cheminent vers la rue Thiers, avec la conscience douloureuse de cheminer vers la mort. Quelqu'un qui ne saurait pas de quoi Gleb est capable pourrait seul ne pas redouter cette issue. Gleb est inéluctable. Gleb s'est révélé plus fort qu'elles, il a joué son coup ultime, les reines sont tombées.

Au fil des ans, il leur a tout pris : d'abord leur amour, puis leur liberté, leur dignité, leur force. Pour Ilona, Gleb se confond avec le Léviathan invisible tourmenteur, divinité sinistre. Son combat contre lui a pris avec le temps l'intensité d'un exorcisme.

Pour Mina, il aura été un poison violent. Sa passion, née plus de trente ans après celle de sa mère, s'est déposée au fond de ses veines, aussi organique que la coulée d'une injection d'héroïne.

Alors elles sont là, la mère et la fille, dans la nuit, à réfléchir de leur silhouette pâle les rayons poudreux des réverbères. Elles ressemblent à des miniatures persanes, enveloppées dans de longs manteaux noirs d'où leur peau lunaire irradie. Les ombres leur brident les yeux et noircissent leurs chevelures. Elles marchent côte à côte en se blottissant contre le vent.

Ilona serre d'une main son PSM à travers le tissu de sa poche intérieure, et de l'autre le portrait de la Vierge au fond de sa poche droite. Mina a accroché ses deux mains autour de sa taille. Ses doigts fins pianotent sur ses hanches. Un foulard écarlate enroulé plusieurs fois autour de son cou protège son visage.

En cet instant, elles se taisent donc, car il y aurait trop à dire. Elles filent leurs traces sur la lumière, et laissent s'embraser leurs souvenirs.

La rencontre d'Ilona avec Gleb se produisit à la suite de la mort de Varlam, deux ou trois années après les événements de Chukhloma. Ce premier contact coïncida d'emblée avec une nouvelle vie, déviant drastiquement des principes qui jusqu'alors avaient gouverné son existence.

Au retour des funérailles de Varlam, Ilona orpheline rejoignit la datcha désertée, classa une dernière fois les archives en collectant les maigres revenus, les deux ou trois photographies et les lettres jaunies que la famille conservait, les icônes défraîchies et la bible fanée, son héritage dérisoire. Elle nettoya les couteaux et les armes, les chandeliers de bois et le samovar, puis en enfouit la plupart dans le sol noir, aux pieds des sapins rabbiniques qui clôturaient leur misérable propriété. Elle garda le Nagant.

Elle passa encore quelques jours seule dans la maison isolée. En y revenant après la cérémonie, elle avait le projet d'en finir avec la vie. Aussi se lova-t-elle dans une encoignure, sur le galetas qui avait accueilli les agonies successives de Dounia, Séraphina et Varlam. Et durant deux journées et trois nuits, Ilona commença d'y pourrir, laissant échapper de longues prières animales et le chagrin lui former un habitacle aussi rond et dur qu'un caillou creusé.

Mais à l'aube de la troisième nuit, elle s'éveilla en sursaut sous ses couvertures de laine bouillie, craquelées de terre sèche. Elle se leva, repoussa d'un geste ses bandelettes de crasse et de désespoir. Elle laissa à ses pieds l'amoncèlement des édredons.

Une fois debout, elle courut vers la cuisine où elle se servit un verre d'eau très fraîche, versée d'une cruche placée dans un renfoncement de la pierre. Elle but le contenu du verre, puis encore folle d'avidité, saisit la cruche et la vida.

C'était le début de l'automne et les chaleurs du plein jour demeuraient accablantes. Les champs torréfiés brunissaient, les moissons ne tarderaient plus. Ilona sortit sur la terrasse, s'exposa à la brise du matin et contempla un long moment la chevelure des hautes herbes.

Tout lui parut soudain neuf et sans conséquence. Une horreur pour la tristesse et la maladie se soulevait en elle. Elle ne souhaitait plus mourir. La vitalité qu'elle constatait au fond de sa poitrine, au creux de son souffle, la parcourait comme une fièvre. Elle regarda le perchoir vide, les bois pleureurs, la hutte des bains de vapeur, les ruches. Qu'y avait-il encore pour elle dans ce paysage ?

Elle se confectionna un trousseau qu'elle plaça dans la valise en carton de son père et mit le feu aux tapis, aux matelas, aux couvertures en y jetant la lampe à huile. Ilona s'accroupit dans l'herbe pleine de rosée, posa près d'elle le Nagant, ainsi que la bible, et regarda la maison brûler dans les balbutiements du jour. Vers midi, il ne restait plus rien de leur passé qu'un tas de cendre.

Durant sa méditation face au brasier, s'était parachevée une révolution. Ilona était prête à endosser les atours de son père jeune, petite frappe insouciante de la Petersbourg stalinienne. Sans doute n'aurait-elle jamais succombé à l'attraction de Gleb sans cette métamorphose préalable, qui mettait à nu une Ilona entièrement méconnue, que seule Dounia, sa mère, avait su déceler.

Ilona se rendit à Iaroslav et de là à Moscou. Elle y arriva vêtue en pauvresse des contes, les pieds chaussés de misérables pantoufles, accoutrée de son éternelle sarafane. Ses cheveux, malgré ses vingt ans passés, étaient tressés à la manière d'une écolière et découvraient sa nuque splendide. Elle tressaillit de plaisir en sortant du train où elle venait de passer deux jours entiers, entassée en troisième classe avec la lie du peuple et les marchandises. Moscou lui parut un puits de soleil.

Elle savait pouvoir trouver refuge chez un ami de son père, installé depuis la guerre à Moscou avec sa famille. Varlam et cet homme, qui se faisait appeler Diadia Chourik, avaient jadis servi dans le même régiment. Celui-ci, ministre déguisé du culte orthodoxe, avait alors gagné l'amitié de Varlam en célébrant secrètement des offices, des unions, en pratiquant vaille que vaille les sacrements de leur foi, malgré les interdits et les dangers dressés par les circonstances. Chourik avait même partagé certains des mystères sanglants orchestrés par Varlam et sans y participer activement, les avait approuvés. Les deux hommes s'étaient quittés à la fin des combats et ne s'étaient jamais revus. Cependant, ils avaient gardé contact de loin en loin, assez pour que Varlam, à l'approche de sa mort, lui recommandât sa fille.

Quand Ilona arriva à la porte de l'appartement communautaire où elle croyait trouver ce Chourik dont son père lui avait si souvent vanté la sainteté, elle fut accueillie par un jeune homme de son âge, peut-être même un peu plus jeune, qui lui annonça que Chourik était mort.

Elle resta saisie par l'apparition plantée sur le seuil : un jeune homme, torse nu, peau veloutée et glabre, vêtu d'un seul bas de pyjama taillé dans une étoffe précieuse, sur les cils et les paupières inférieures des restes de khôl, comme les traces d'une orgie récente. Il semblait absorbé par le visage décontenancé d'Ilona.

Kak tibia zavout ?

Minia zavout Ilona.

Il sourit. Ses yeux bleus ne cillaient pas, en vérité ils la dévoraient. Ilona observa la tulipe tatouée sur son avant-bras.

Le jeune homme l'invita à entrer et marcha à ses côtés le long du couloir qui menait à la salle principale. Ilona admira les lambris d'un autre siècle, les mouvements de son hôte. Sa lenteur de dandy la fascinaient. Il respirait une assurance qu'Ilona n'avait jamais vue affichée par personne, quelque chose qu'elle était incapable de déchiffrer et qui faisait fondre sa volonté. La peau nue, le duvet courant le long de l'échine souple, les muscles affleurant traçaient un sillage de désir, qui impliquait une capitulation.

— Oui je me souviens à présent, tu es la fille de Varlam. Avant de mourir, mon père m'a parlé de lui, et de toi. Je veux bien te prendre, Ilonka. Mais pas comme ton père ou le mien l'auraient fait.

Ilona se sentit rougir jusqu'à la racine des cheveux. Elle fléchit imperceptiblement les épaules, comme pour parer un coup, puis se redressa, le visage redevenu fier. Jamais elle ne s'était sentie aussi belle, ni aussi bien comprise, en si peu de mots.

— Enlève ces vêtements de mendiante, je vais te vêtir comme une princesse. Tu ne manqueras jamais de rien, crois-moi.

D'un geste, il saisit la nuque d'Ilona et approcha ses lèvres des siennes. Ses doigts caressèrent le tissu, à l'orée du décolleté, et en découvrirent les deux seins blancs, presque lumineux. Ilona retint son souffle tandis que la bouche de Gleb se posait sur leur corolle. Elle tenta un mouvement d'esquive : ce qui se déroulait était trop bon, trop délicieux pour être soutenu. L'élan qui la poussa enfin à épouser ce corps, à s'y livrer étroitement et sans retour, ressembla au jaillissement d'une source. L'âme desserrée d'Ilona sentit sourdre une avidité inconnue, une soif plus grande qu'elle, une soif que seul Gleb pouvait désormais étancher.

Les années qui suivirent sous la domination absolue de Gleb, Ilona se coula dans un personnage lascif, violent, animé par une révolte contre la médiocrité de ses origines et par une fascination pour l'aristocratie criminelle. Quand Ilona se livra, ce fut pieds et poings liés, dans un frémissant consentement. Elle vécut ces années avec une féroce fierté de gagneuse, pailletée des toilettes, des parures, des splendeurs offertes et tachées de sang, si loin de son siècle, et pourtant leur emblème.

Les filles de sa race échappent un peu plus longtemps que les autres à l'érosion de leur suprématie. Mais nulle n'y a jamais échappé. Peu à peu, Gleb se détacha, en préféra une autre, exigea silencieusement de nouveaux exploits, de nouvelles parades, puis s'en désintéressa. Ilona, au bout de dix ans de cette vie, malgré sa splendeur, son allégeance et sa délicieuse perversité, n'était plus neuve. Elle était usée, au-delà des fards, et sa féminité se griffait des souffrances de l'abandon.

Ce fut alors qu'Ilona tomba enceinte.

Qui est le père de Mina ? Impossible de le savoir avec certitude. Mais pour Ilona, il s'agit du peintre moscovite Piotr Prizbaltiski à qui Mina doit sans aucun doute cette chevelure noir de jais. Piotr est plus qu'un client, plus qu'un amant, il est un refuge. Gleb le sait-il ? Peut-il ne pas savoir ? La laisse-t-il à d'autres soins, elle qui n'est plus pour lui qu'une marchandise usagée ? Gleb s'est retiré dans d'autres cercles, où sa divinité s'amplifie. Ilona parfois en pleure de rage et d'impuissance, dans les bras de Piotr.

Ilona est bien consciente du fait que se livrer ainsi à un autre homme que Gleb est passible d'un châtiment mortel. Les règles sont claires. Ilona peut coucher avec lui, et Gleb le tolérer. En revanche, l'intimité entre les deux amants, leur amitié même (si l'on peut lui donner ce nom), une fois découverte, serait un camouflet insupportable.

Piotr, de surcroît, n'est pas n'importe qui, aux yeux de Gleb. D'abord, sans dépendre d'une branche mafieuse proprement dite, Piotr a une place bien à lui sur l'échiquier des alliances. Il appartient à l'un des rares réseaux politiques souterrains qui échappent à l'emprise du Système, celui de la diaspora indépendantiste caucasienne. Les deux hommes se croisent donc dans les mêmes milieux, fréquentent les mêmes bandits, recherchent la même ombre. Surtout, Piotr connaît Gleb mieux que personne, car il fait partie des très rares témoins encore vivants d'une période de vérité dans l'existence du truand, celle de son enfance.

Tous deux, en effet, furent voisins dans le village attenant à une base militaire de l'Oblast de Tomsk, rapprochés par le hasard mécanique des affectations de Chourik et du père de Piotr, tous deux servant le même bataillon, à des grades différents. Gleb et Piotr se fréquentèrent au sein du clan oisif des préadolescents mâles de la base. Sensiblement du même âge, d'une force physique déjà exceptionnelle, leurs personnalités frappaient par leur dissemblance. À l'un la gueule d'ange blond, les sourires enjôleurs et le penchant déjà déclaré pour l'hédonisme (mais sans cruauté encore), à l'autre le poil dru et noir des montagnards, la fierté ténébreuse et la droiture. Les autres petits garçons se confondaient en une admiration répartie également entre leurs deux capitaines dont ils suivaient les ordres au doigt et à l'œil.

En grandissant pourtant, l'harmonie sembla se fissurer, puis éclata tout à fait quand on trouva les deux garçons, un soir, roulés dans la boue, épuisés, écorchés, se combattant depuis on ne savait combien de temps. On les avait séparés, mais Piotr n'était jamais reparu dans le clan, préférant désormais sa chambre aux escapades entre gamins. Nul n'osa interroger Gleb sur les raisons de la querelle et on en resta là (même si à l'évidence on pouvait soupçonner que cela avait à voir avec la jeune Macha, la fille du bottier). Au bout de quelques semaines, la providence des affectations militaires redistribua les cartes et les enfants furent séparés pour ne plus se retrouver qu'à Moscou, bien des années plus tard.

Si Gleb n'a pas encore réagi, c'est qu'il ignore les liens de sa gagneuse et de son plus ancien rival. La grossesse d'Ilona risque de provoquer ce qu'elle redoute depuis des mois : la fureur sanglante de son souteneur.

La maternité a pris Ilona par surprise. Mina s'est cachée dans les entrailles de sa mère et n'a fait aucun bruit, aucun mouvement, avant le septième mois. Ilona a vu alors son ventre gonfler comme une pâte pleine de levure et a su qu'il était trop tard pour se débarrasser du bébé. Ilona a pleuré son corps déformé et maudit ce fœtus hypocrite.

Ton enfant a le goût de l'occulte, tu ne peux pas le lui reprocher.

Ton enfant a envie de vivre, il se méfie de toi, tueuse.

L'accouchement s'est déroulé dans un hôpital de Moscou, à l'intérieur d'une de ces cabines individuelles aux murs tapissés de laine verte réservées aux clientes de marque, dans la partie la plus excentrée du labyrinthe.

Durant les dernières semaines, Ilona a suspendu toutes ses activités et elle a occupé ses journées à fumer, cigarette sur cigarette, en proie à une noire mélancolie. Elle se fait l'effet d'être le loup du conte, repu d'avoir avalé la petite Varenka. Les chasseurs viendront bientôt lui trouer le ventre pour en extraire la rescapée.

En deux mois, elle n'a pas posé une seule fois ses mains sur la poche de peau presque transparente qui pend sous ses seins et abrite le monstre. Elle refuse la présence de Piotr et celle de tous les autres, elle ne veut pas être vue dans cet état repoussant, canines et pieds agrandis démesurément, abdomen hypertrophié. Enfermée dans son appartement de Taganskaya offert jadis par Gleb, Ilona connaît une confrontation brutale, ricanante, avec les limites de son corps, de sa beauté, de son âge.

Les eaux rompent durant la nuit, alors qu'Ilona ne dort pas, mais se tient assise sur son sofa iranien, la tête crevant un nuage de nicotine. Le liquide coule et mouille le peignoir, ruisselle sur les mules incarnadines, flétrissent le duvet du pompon. Ilona regarde sans bouger. Elle se contente d'allumer une nouvelle cigarette. Lève les sourcils.

La première contraction lui paraît tout à fait supportable. Une fois l'onde passée, une paresse la prend, elle bascule sur le côté, le sommeil l'envahit.

Elle se réveille peu de temps après, s'extrayant d'un rêve où un cercle d'hommes, coiffés de crêtes tels de grands perroquets vert citron…

Zilonii... Zilonii papougaï !

... la bourrent chacun leur tour de coups de poings, comme des musiciens flattant la surface tendue d'un tambour, faisant jaillir des percussions de son ventre-fontanelle.

Quand elle se réveille, un feu a pris dans quelques-unes de ses mèches blondes et crépite sur le tapis. Sa cigarette restée allumée a coulé de sa bouche. Ilona se lève et saisit un verre d'eau sur la table basse, qu'elle se jette à la face. Puis elle piétine les braises du tapis de ses pantoufles luxueuses, noircies.

Aussitôt une contraction – une vraie cette fois, car en peu de temps la crise se manifeste avec de moins en moins de tact – se met à lui déchirer les reins, lui pousse du fond des fesses jusqu'au sommet de la moelle épinière.

Ilona pousse un cri, seule dans son salon encore brûlant de boucane et qui ressemble à présent dans la pénombre à une fleur de terre volcanique. La face ruisselante, elle s'accroche à un bras du sofa, y plante ses griffes. La frange de ses cheveux est calcinée, il y a de la suie sur son visage. De longues traînées de larmes noires se dessinent sur ses joues, résidus charbonneux mêlés au mascara, qui pétrifient ses traits.

Un moment plus tard, Ilona a les jambes relevées sur des étriers en fer étincelants, elle est plantée de sondes, et la suie s'est diluée dans les litres de sueur qui s'essorent d'elle pour soutenir les assauts répétés des contractions.

À présent elle est livrée au regard connaisseur des médecins. Son sexe ouvert, dilaté aux proportions d'une forge naine, se pare pendant les phases de crescendo d'une myriade de cristaux qui plongent jusqu'au fond de sa grotte utérine. Ilona clouée en sent le sertissement rigide remonter jusqu'au seuil de ses cuisses. Puis la crise atteint son comble, et ce qui advient ressemble à l'explosion d'un bâton de dynamite dans une mine de diamants.

À mesure que les crises se rapprochent, la sédimentation des gemmes éclabousse le vagin, la fente des fesses, le bas du dos, puis le dos tout entier, couvre le ventre. Et quand la crise éclate de nouveau, plus violente que la précédente, toutes les cloques scintillantes détonent en même temps, s'arrachent en un souffle torride. Ilona hurle, elle n'a jamais eu aussi mal.

Les médecins ont quitté la pièce, ils réapparaîtront à la délivrance. Ilona est laissée aux soins des infirmières (au nombre de deux), très jeunes et très belles, vêtues de blouses céladon qui les déguisent en filles du Rhin. Ilona voudrait leur parler, les rejoindre dans leur olympe. Elle voudrait comprendre leurs gestes agiles et pouvoir suivre les traces lumineuses qu'elles délinéent à chacun de leur mouvement. Mais elle halète sans pouvoir prononcer un mot.

Une heure passe, ou deux. À un moment, Ilona arrache ses sondes, chasse ses jambes des étriers. Elle est nue, elle cherche comme un animal la position qui lui permettra de tenir, elle s'accroupit, se lève, se recroqueville, sa poitrine est trempée, ses yeux brillent de fièvre, elle sent avec horreur que sa peau se couvre d'écailles qui la revêtiront bientôt, et que tout entière elle explosera quand viendra le point final. À bout de forces, Ilona s'arrête un instant.

Les infirmières prononcent plusieurs fois des paroles qu'Ilona n'entend pas. L'une des sirènes tente de lui attraper le bras, pour le sangler. Ilona envoûtée décoche un uppercut de grand primate, le corps à moitié plié en deux sur la rambarde en fer du lit médicalisé. L'infirmière s'effondre. Il se passe un petit temps, puis un homme entre dans la pièce, saisit Ilona et l'attache de force. On replace les pieds dans les étriers, comme dans des ceps.

Ilona se débat, la fureur la prend tout à fait, elle délire encore un long moment, puis s'interrompt pour sangloter.

Tout à coup, elle redresse à demi sa tête échevelée, elle rassemble toutes ses forces pour expulser, se tordre et se bander en un ultime effort. Mais son corps est usé par la douleur qui a creusé ses galeries, il se casse net comme une assiette.

Les médecins sont revenus. Ils évaluent la situation, consultent les diagrammes, les flux, les sondes. Ilona brisée ne distingue pas ces vieillards aux cheveux soyeux qui se penchent sur son vagin et y insinuent leurs lorgnettes et leurs doigts préalablement plastifiés.

Un masque lui est appliqué, une sorte de muselière aux lanières de cuir brun, et à travers la glace embuée par son haleine, Ilona voit la pièce verte se tendre soudain de volubilis géants, sortis d'un conte de fées victorien que lui lisait Varlam à une époque si lointaine qu'elle apparaît encore peuplée de rois et de reines. Ilona a un petit hoquet de rire. Ses longs cheveux rejoignent le sol, se plantent en terre, prennent racine tandis que son visage, puis tout son corps fleurissent, s'ouvrent en corolles. Elle ne sent pas le scalpel qui fend son ventre en une seule incision, sur le fil du pubis.

Son abdomen devient un sac à main dézippé, où l'on plonge une main experte et dont on extrait des accessoires sanglants. Une tête au bout d'un corps, un cordon, une poche de placenta. C'est un sachet visqueux qui ne tarde pas à cambrer la colonne, le reliquat d'une queue, pour pousser un de ces cris révoltés qui accompagnent l'agencement soudain en une forme reconnaissable, celle d'un homoncule prêt enfin à en découdre, dilaté pour absorber la vie.

Gospodi pomilos... Takaïa krassavitsa.

Une prière s'échappe des lèvres d'une des sirènes, qui retrouve les accents de la campagne d'où elle provient. Celle-là est si jeune qu'elle ne s'est toujours pas habituée. C'est elle qui tient l'enfant extirpé, elle tremble encore. Elle a eu très peur, surtout quand Ilona est devenue violente. Maintenant que le bébé, ventousé à son avant-bras, vagit en fouissant de tout son être vers une fontaine de lait, la jeune fille qui l'a fait naître est émue, elle s'émerveille.

Elle se demande quel avenir peut bien lui être réservé. Elle a encore le souvenir du déraillement de la mère blonde. Elle referme un instant sa paume sur le crâne miniature, clairsemé de poils noirs et de filaments pourpres. Elle soupire, épuisée. Mais elle résonne de la joie de sentir contre elle ce petit paquet d'existence pure, chaud, encore hurlant.

Le médecin chef a fini de recoudre Ilona. Il aboie :

— Fille ou garçon, je n'ai pas vu ?

Son assistant chenu, roué courtisan, a son idée :

— Un garçon, à ce qu'il me semble.

L'infirmière écarte alors les minuscules cuisses marbrées qui pédalent dans leur moutonnement d'air, elle y déniche le fruit d'un abricotier, boursouflé de rose chair, qu'aussitôt elle divulgue avec une sainte précaution.

— *Dievotchka, pojalouysta*... C'est une petite fille.

— On approche. On n'est plus très loin.

La pluie s'est mise à tomber. Le foulard de Mina s'imprègne d'une eau grasse comme un bouillon, sa soie écarlate s'auréole, change de couleur. Les sourcils, constate Ilona, demeurent immobiles, ce sont deux arches athéniennes, ses paupières (*siniie... siniie chtorii*) sont, elles, deux rideaux ferrés qui coupent ses prunelles à mi-parcours de l'ouverture. On n'en voit qu'une demi-lune d'encre.

À quoi pense-t-elle ? Est-ce qu'elle a peur ? S'il était encore possible de l'apaiser en la pressant contre mon sein...

Oui, elles approchent. Ilona récapitule les données dont elle dispose. Elle cherche à savoir si elle peut encore sauver sa fille, sauver sa petite fille, se sauver elle-même.

Elles sont proches du but et ce n'est pas le moment de négliger un détail important. Ilona a fait quelques recherches : tout va se jouer à l'intérieur d'une maison isolée, aussi délabrée qu'un de ces bunkers en béton abandonnés le long des côtes. Ce choix porte la signature de Gleb. Son goût pour les ruines.

Comment Gleb a-t-il retrouvé leur trace dans ce village perdu ?

Ilona se tord les mains. Toute la journée elle a ressassé la même question. Quelque chose cloche. Elle a beau reprendre le fil, il y a trop d'inconnues. Comment leur identité a-t-elle filtré ? Par la voie des orthodoxes ? Cela lui paraît peu probable. Ilona tente de porter à la clarté les éléments de l'histoire, mais ils lui échappent à mesure qu'elle y applique son intelligence.

Peut-être que je n'ai plus d'intelligence. Peut-être que je ne comprends plus ce que je comprenais sans effort. Peut-être que je glisse vers la folie, ou pire, l'incompétence.

Ilona ne poursuit pas. Tout à coup, au moment de contourner une flaque, Mina s'écarquille, animée par un démon dansant : d'un glissement jeté, Mina franchit l'obstacle. Elle retrouve un instant sa grâce, celle qui était la sienne dans l'enfance. Ilona sourit, elle entrevoit dans cet éclair le visage ancien de sa fille, le regard empli de la matière des rêves, l'essence de l'innocence.

Depuis le début de leur fuite, le fil déjà ténu qui les reliait s'est encore altéré. Non pas l'amour si singulier qui les unit, mais les mots, qui ne passent plus de l'une à l'autre. Elles ne se taisaient pas comme ça, avant. Avant ? À quoi cela correspond-il ? Où se situe ce foutu « avant » ? Avant la rue Thiers, il y a eu Londres. Avant Londres, il y a eu Marseille. Avant Marseille il y a eu le Caucase, Bora. Et avant Bora il y a eu Moscou, la naissance de Mina. Il leur aura fallu fuir depuis toujours…

Il est grand temps que leur longue échappée touche à sa fin. L'usure de cette vie a consommé leurs dernières forces.

4

L'histoire de Mina commence entre les bras duveteux et constellés d'éphélides de Nastassia Iegorovna, infirmière au cœur limpide, que peu d'années séparaient de l'enfance.

Cette nuit-là, dans l'aquarium de la salle d'accouchement, elle se pencha sur l'enfant encore chaud du ventre de sa mère et décida de lui faire un don.

Elle contempla le petit corps. Le visage du nourrisson, d'abord traumatisé par l'épreuve de l'extraction, s'était lissé en cessant de pleurer et offrait une peau suave comme de la soie sauvage. Les cils, très longs et très noirs, fait inattendu chez un être aussi neuf, battaient une cadence inconnue, tandis que les doigts crochetaient un luth invisible. Nastassia osa s'approcher pour la renifler : l'odeur que l'on n'a qu'une fois dans sa vie, l'odeur du dedans, alcaline et ointe d'arômes de violette.

L'infirmière frotta sa joue contre celle de l'enfant et murmura son vœu dans l'infime conduit auditif :

— Je te souhaite la patience dans l'amour. *Terpienie v lioubvi.*

Durant les deux jours qui suivirent, Nastassia prit un soin particulier de ce bébé sans nom. La mère, recousue à la diable, dormait. Nastassia le baigna d'abord, dans les eaux tièdes d'une bassine de fer-blanc, sous les néons de la salle des soins. Ce fut elle aussi qui toutes les deux heures tendit aux petites lèvres voraces le caoutchouc naturel d'une tétine aux teintes ocre, remplie de préparation lactée vitaminée.

Tout en serrant le petit corps abandonné contre sa poitrine parfaite, Nastassia laissait rouler des larmes menues comme de petits diamants, qu'elle cachait tant bien que mal aux yeux de ses supérieurs.

Ce n'était que le vingt-septième bébé auquel Nastassia portait assistance, mais la jeune fille ne pensait pas se tromper en trouvant à celui-ci une texture opalescente rappelant les perles fines et les duvets de canard blanc des contes pour enfants.

Nastassia eut deux jours pour se gorger de la peau soyeuse, des bruits de succion, des étreintes immobiles et des pleurs pareils à des miaulements.

Le troisième jour, quand elle passa dans la salle de repos avant de prendre son service, on l'avertit que la mère blonde avait disparu pendant la nuit. Le lit où celle-ci reposait dans un quasi-coma depuis quarante-huit heures était déserté, les draps tachés de sang roulés en boule contre le linteau de la fenêtre. Nastassia, qui d'ordinaire gardait dans n'importe quelle assemblée un silence de moniale, osa faire part de son inquiétude.

Un gros et gras médecin qui avait des vues sur sa chair fraîche s'en amusa :

— De toute façon elle a laissé son mioche en partant, il faudra bien qu'elle le récupère.

L'infirmière chef, une énorme femme rousse aux yeux enfoncés, vida sa tasse de thé en se levant du fauteuil qui jusque-là avait reçu ses fesses lourdes comme un coffre-fort. C'était une femme bonne, mais sans passion, qui maniait les poupons avec une habileté de femelle aux portées incessantes.

— Cette femme ne reviendra pas. Croyez-en mon expérience, elle va nous le laisser, son lardon. Ce n'est pas le genre qui s'occupe d'un enfant, pas ce qu'il faut. Non, croyez-moi…

La rousse continua à marmonner tout en traînant ses *toufli* blanches vers la sortie de la salle. Un filet de voix aigre s'éleva dans le fond. C'était l'anesthésiste, un homme sec et jaune, aux dents tachées de tabac.

— Vous ne savez pas à qui vous avez affaire. Vous ne savez pas du tout. C'est une des putes de Diadia Gleb, le parrain ukrainien qui a la main sur le trafic des femmes ici, à Moscou. Si elle revient et que ça lui chante, elle pourrait bien nous faire trouer la peau par ses sbires…

Un rire accueillit la menace. L'anesthésiste se mit à rire, lui aussi, si bien qu'il fut impossible de savoir si quoi que ce soit de sérieux se cachait dans ses propos.

Désemparée, Nastassia se dirigea d'un pas fébrile vers la pouponnière. Elle retrouva son bébé à l'endroit où elle l'avait laissé la veille, encore endormi. Couché sur le dos, les poings serrés contre ses oreilles en une posture de nymphe potamide. Nastassia s'approcha de la châsse où reposait son amour à la chevelure de soie. Elle plongea la main dans le berceau vitré et flatta à pleine paume le petit crâne.

L'heure de la tétée approchait. Nastassia soupira et s'éloigna en chaloupant un peu. Ses pantoufles blanches frôlaient le sol, le silence vibrait des appareils respiratoires. Elle entra dans la salle de préparation des biberons et s'aperçut que les bouteilles des collations nocturnes n'avaient pas été nettoyées. Une dizaine au moins se tenaient sur le bord de l'évier, dont les rebords étaient jonchés de tétines malpropres.

Nastassia chantonna en faisant la vaisselle et ses coudes se couvrirent de mousse odorante.

Elle frotta un petit moment, mais le poinçon d'un pressentiment se mit à la tourmenter tandis que, déposant le dernier biberon propre sur le rebord, elle s'apprêtait à immerger les tétines. Elle eut besoin de voir le bébé et de le toucher encore. Elle secoua ses avant-bras couverts d'écume, s'essuya sur sa blouse et fit quelques pas vers la porte de la pouponnière.

Je ne veux pas perdre cet enfant, il est si beau. Je m'en occuperai bien. Je…

Les pensées les plus naïves se bousculèrent tout à coup dans son esprit très jeune. Elle sentit poindre la certitude que cet enfant serait le sien. Elle accéléra le pas.

Quand elle rentra dans la petite crèche, elle fut arrêtée par une vision d'horreur. Sur le berceau de verre, une femme était penchée, laissant traîner sur ses talons un très long manteau taillé dans une matière coûteuse, de celles qui ne se dénichaient nulle part dans les magasins d'État. Nastassia resta interdite en reconnaissant l'apparition.

Cette femme n'est pas de notre monde.

Elle posa un genou à terre, sans cesser de darder un regard épouvanté : la femme parée et coiffée d'un chignon haut, où se mêlaient sans ligne de partage l'or et le cuivre rose, saisit le bébé et l'escamota dans les plis de son manteau. Puis, se redressant avec gravité, elle tourna vers Nastassia une face blême, rehaussée du rouge vif de ses lèvres et de ses pommettes, et rendue effrayante par les fards qui empesaient ses paupières.

Nastassia, aussi longtemps que dura sa courte existence, en conserva l'image d'un vampire.

Un peu plus tard ce matin-là, Ilona frappait de sa main droite gantée sur la porte matelassée de l'appartement de Piotr, tandis que sa main gauche agrippait l'anse encordée du couffin où reposait l'enfant qu'elle venait de subtiliser comme s'il n'avait pas été le sien. Elle vivait un de ces états seconds où la douleur extrême chauffait à blanc les agrafes d'argent qui poinçonnaient son bas-ventre.

Ilona tremblait de froid en s'enveloppant dans son très long manteau au col de fourrure, elle posa le panier à même le sol en bégayant des mots qui s'émiettaient dans le silence. Piotr venait de se réveiller et portait encore un masque de sommeil mâché d'alcool, qui exorbitait ses traits, mais les rendait aussi presque poupins. Il s'approcha de sa démarche chaloupée semiboiteuse, son attribut depuis une rixe entre intellectuels d'obédiences ennemies, longtemps auparavant, et il se tut pendant qu'Ilona lui expliquait tant bien que mal la situation.

— Il faut lui donner un nom.

Piotr s'accroupit torse nu au-dessus du couffin, tira sur sa cigarette en plissant les yeux. Puis, le cou tordu vers Ilona qui se tenait debout derrière lui, il détailla quelques instants.

— Tu as une mine terrible.

Ilona recula, elle ne répondit pas et, surtout, tâcha de ne pas cligner des paupières. Ses escarpins à la doublure précieuse couinèrent sur le parquet.

— J'ai pensé à Wilhelmina.

— Très bien.

— Alors je peux te la laisser quelque temps ?

Piotr se caressa la nuque, lissant la toison annelée qui remontait le long du sillon concave de sa colonne, éclaboussait son dos musculeux jusqu'à la racine de ses cheveux. Le ventre et la poitrine eux aussi étaient semés de cet astrakan noirâtre, qui jaillissait du nombril. Assis sur ses talons, il ressemblait plus que jamais à un faune. Sa chevelure, bouillonnant en flammes noires sur son crâne rond, tout comme l'expression fixe de ses yeux posés sur le panier où dormait l'enfant, offrait le portrait d'un être bâti pour bondir et chasser sur les pentes du Cithéron, à des lieues et des lieues de la bohème étriquée qui lui était dévolue en guise de territoire. Ilona vacilla.

— Alors ?

Piotr siffla entre ses dents, tendit sa main vers le buisson de draps, de lainage et d'osier, et découvrit le petit corps endormi dans l'abandon de l'inconscience, rayonnant au centre de son offertoire de coton. Il l'observa un moment sans rien dire, alors qu'Ilona, droguée par sa douleur, se perdait dans la contemplation du souffle de son amant, abaissant et relevant tour à tour, avec une ampleur divine, son abdomen et sa poitrine. Piotr bascula sur les fesses, s'assit les genoux relevés et enserra ses pieds entre ses mains.

— Elle n'est pas en sécurité si elle reste ici.

— Alors envoyons-la chez ta mère...

Piotr découvrit ses dents pour sourire. Il se releva, jeta un regard sur le couffin, puis tournant les talons, se dirigea vers la cuisine en claudiquant de sa façon absolument *mâle*, emportant avec sa présence un pan entier de l'univers.

Ilona restée dans le vestibule l'entendit remplir et poser la bouilloire sur une plaque de la cuisinière. Un long moment, il resta à l'écart et ne l'invita pas à s'approcher. Piotr déambulait dans l'appartement. Préparait-il leur départ ? L'avait-il oubliée au profit d'une autre préoccupation ? Elle demeurait sidérée. Depuis des jours, elle souffrait avec une intensité qu'elle n'avait jamais connue. Mais l'épreuve lui apparaissait tout à coup comme une éclaircie de vérité.

Que Piotr l'abandonnât ainsi debout, affamée et assoiffée, le manteau toujours sur les épaules alors que d'innombrables perles de sang signaient déjà l'intérieur de sa combinaison à baleines et menaçaient de ruiner ses dessous, sa robe trop ajustée et même ses chaussures vernies, que la fièvre moulût son esprit grain à grain, qu'elle ne fût plus qu'une arête purgée de chair et de sang, tout cela la rapprochait d'une connaissance qu'elle n'aurait jamais soupçonnée. La souffrance l'arrachait à la rêverie violente qu'avait été sa vie depuis la mort de Varlam.

Au même instant, dans le berceau d'osier toujours posé à même le sol, la petite forme découverte se mit à s'agiter, sans ouvrir pourtant les yeux et, quittant son immobilité, entra dans une turbulence qui alluma ses sourcils et concassa sa face. Un bout de langue sortit des lèvres et se rétracta aussitôt. Il y eut dans les stades de l'éveil, parcourus à grande vitesse, l'abrégé de métamorphoses multiples qu'Ilona suivit avec stupéfaction. Le corps cherchait à faire remonter une parole indignée. Et puis, grésillant tout d'abord, mal réglé sur l'antenne, un cri se hissa en dehors du panier, lançant sans tarder sa volée de cloches grelottantes.

Ilona fit un pas de côté en entendant pour la première fois les pleurs de son enfant. Elle tendit l'oreille, désemparée, la silhouette de Piotr surgit dans l'embrasure obturée par un rideau de perles de la porte du salon.

Ce signal prit possession du corps d'Ilona. Les seins débordèrent tout à coup de la coupelle de la gaine. Ornées de veines bleues, les deux mamelles giclèrent à l'unisson une fontaine de lait. Mina pleura plus fort et Ilona, dépassée, supplia Piotr des yeux. Ses mamelons gigantesques rebiquaient comme des ressorts, avides d'être tétés et vidés une bonne fois pour toutes. Piotr, comprenant l'urgence, se mit à dévêtir Ilona à la hâte. Soumise, elle lui confia le zip de sa robe, qui tomba à ses pieds tandis qu'elle-même se débarrassait de ses chaussures. Avec beaucoup de précautions, Piotr dégrafa les anses de la combinaison pour révéler les tétons, qui au contact de l'air se contractèrent de plaisir. Vénus débraillée, Ilona fut conduite à un siège, assise d'une pression sur les épaules. Piotr saisit le bébé déformé par ses hurlements, cala la peau marbrée sur son avant-bras et non sans l'avoir renversée à quatre-vingt-dix degrés, appliqua la bouche avide sur le sein droit d'Ilona. L'abouchement fit cesser les cris.

Dans l'affolement, les mouvements saccadés avaient malmené les sutures et la ligne découpée au-dessus du pubis s'orna de cils rubiconds.

La proximité de la peau de Mina contre son ventre recousu fonctionnait comme un pansement, et ainsi couchée de tout son long en travers des genoux et débordant sur le creux du coude, Mina prodiguait sa médecine. Ilona chavirée goûta le ravissement de laisser fondre sur elle le corps repu de sa fille.

Autour d'elles s'éleva le bruissement ordinaire de l'immeuble, disputes, pas précipités, glissements de hautbois du chauffage central, machinerie diverse de pompes et de tuyaux. Dans la lumière du matin, la caresse d'Ilona et Mina parut plus émouvante encore à Piotr qui les contemplait avec un œil de peintre, assis sur le parquet. Sa maîtresse, moitié nue, les jambes pendantes, le visage exténué, les cheveux décoiffés par l'amour, pantelait en le fixant droit dans les yeux. Ses clavicules et ses seins saupoudrés d'or, éclaboussés de l'enduit bleuté du lait, se soulevaient à chaque respiration en faisant miroiter une peau radieuse.

Ilona sourit, tandis que Mina accrochait ses doigts parfaits et ridés sur la lèvre inférieure de sa mère. Piotr se releva et partit dans la salle de bains. Ilona ferma les yeux, sans cesser de se laisser toucher et explorer. Quand Piotr revint, il portait une serviette mouillée, qu'il appliqua d'abord sur le museau de Mina, puis sur le visage de sa maîtresse, en épongeant le menton luisant de salive fraîche, les pommettes et le front, la racine des cheveux qui ruisselaient de sueur. Piotr posa sa bouche sur le casque blond au chignon flanché, sur la nuque chaude et odorante dont les veines palpitaient, sur le tambour de son cœur. Il saisit les deux pieds d'Ilona et, remontant sans trembler le long des cuisses, dégrafa les bas des jarretelles de rayonne, en déroula le nylon jusqu'au talon. Des filets de sang séché maculaient l'intérieur soyeux.

— Lève-toi.

Ilona obéit et se dressa, l'enfant logée au creux de son bras. Piotr posa ses mains sur les hanches d'Ilona et fit descendre la culotte. Il ne restait plus que la taille à découvrir. La gaine repoussée dans ses limites dévoilait la poitrine somptueuse, d'une blancheur oxygénée. Le pubis au contraire demeurait mystérieux dans le repli des jambes. Piotr, accroupi à ses pieds, jeta un regard à Ilona, guettant son assentiment. Il effleura ses fesses, le bas de son dos, cherchant à tâtons les crochets du dispositif compliqué. Ilona sentit sa chair frémir de pudeur quand les doigts de Piotr se firent maître du corset.

— *Ostorojno* ! susurra-t-elle les yeux fermés, les cils baissés sur ses joues comme deux grands éventails espagnols.

— *Koniechno... Koniechno...*

Ilona souleva un peu le berceau formé par ses bras, afin de livrer le passage aux manipulations de Piotr. La coque adhérait au ventre par une croûte vermeille et se constellait de taches semblables à l'ocellement d'un fauve. Piotr passa sa main dans l'interstice entre la peau et les rubans élastiques et avança jusqu'à la zone où le sang avait coagulé. La main, calleuse comme un papier de verre, se mit à masser avec des mouvements circulaires, appliquant la chaleur de son toucher sur le cachet de la plaie. Peu à peu, il en fit fondre la cire et put décoller le plastron de la gaine. La peau qui se dévoila ressemblait à un sol lunaire. Les zébrures se promenaient comme un chemin parsemé de sutures écarlates. Ilona retenait ses cris.

Enfin nue, elle se laissa guider vers la salle de bains. De très petits pas l'y menèrent. Une baignoire en fer-blanc l'attendait, remplie d'eau fumante. Piotr assista la mère et l'enfant, les baigna en silence. Un peu plus tard il les sécha et passa une huile de phoque, très nourrissante, sur le ventre et les seins d'Ilona, et une d'amande douce sur le petit corps du bébé qu'il massa jusqu'à ce qu'il s'endorme. Il les installa dans son lit, mère et fille enlacées, et elles s'endormirent côte à côte. Quand Mina eut faim, Ilona couchée sur le flanc lui tendit la pointe de son sein que la petite bouche avala dans un fouissement.

Par la suite il ne fut plus jamais question pour Ilona de se séparer de sa fille. Avec cette décision irrévocable, s'enclencha la discussion sur les arrangements à prendre. L'urgence première était de fuir Moscou.

— Plus que cela, Ilonka, disparaître…

Ilona écoutait Piotr dans un demi-sommeil. Pendant qu'il parlait, assis au bord de la couche qu'il leur cédait, Piotr ne cessait pas de caresser la mère et l'enfant, de les apaiser du va-et-vient de sa paume.

— Il nous faut un plan, Ilonka, écoute-moi bien…

Ilona écoutait, mais sans comprendre. Ses cheveux répandus autour de ses épaules nues étaient propres et brillants, et répandaient une odeur poudrée d'œillet.

— Il nous faut un plan, Ilonka. Si tu veux garder ta fille, il faut que tu disparaisses. Tu ne lui sers plus à rien, à lui, de toute façon. Et tu vaux mieux que ça.

— Pétia, Péterie... Je ne peux pas réfléchir à présent. Ne me demande pas ça. Fais-moi du thé noir, je t'en prie, j'ai si soif.

Piotr gardait un instant le silence, puis toujours berçant, reprenait en chuchotant son plaidoyer.

— L'enfant et toi, vous devez disparaître. Dans quelques heures vous devrez quitter Moscou pour toujours. Me quitter, évidemment. Ilonka, cet enfant est en danger si tu ne changes pas d'identité, si tu ne fuis pas très loin. Réfléchis. Penses-tu que Gleb te laissera prendre ta retraite ? Penses-tu que ses agents te laisseront t'esquiver en emportant tous leurs secrets ? Gleb te néglige, mais à ses yeux tu lui appartiens. Tu es à lui... Il vous tuera plutôt que de vous voir disparaître et lui échapper.

Ilona acquiesçait, sanglotait à demi en se blottissant contre Mina endormie. Piotr avait raison.

— Est-ce que tu l'aimes encore ? demanda-t-il soudain.

— Qui ça ? répondit-elle dans un souffle.

Il y eut un silence, puis Ilona, les yeux fermés :

— Laisse-moi dormir encore un peu. Je partirai avec Mina, comme tu l'as dit. Je suivrai ton plan, mais avant cela, laisse-moi dormir un peu.

Ilona s'affaissa sur l'oreiller de plume. Sa main saisit une petite cuisse et l'entoura comme un anneau nuptial ou le fer d'un bracelet.

Ilona obéit à Piotr et ne le revit jamais. Elle apprit sa mort, quelques mois plus tard, des complications d'une cirrhose. Mais avant leur séparation, Piotr avait organisé l'exfiltration vers le Caucase, sa région natale où il conservait des attaches avec des personnes de confiance et où Gleb, en principe, n'avait pas d'appuis. Ilona et Mina furent installées en pays tcherkesse, sur les pentes de la région volcanique de l'Elbrouz.

Le pouvoir central avait imaginé, une dizaine d'années avant ces événements, à flanc de montagne, la création ex nihilo d'une cité nommée Bora, destinée à recevoir des colons russes et les scientifiques de la base d'observation spatiale d'Arkhyz, elle-même perchée sur les hauteurs du Zelentchouk. Aussi avait-il passé commande de l'érection d'une ville sur le modèle d'une monade architecturale de quatre barres d'immeubles hauts de huit étages, parallélépipèdes alignés comme les immenses legos d'un enfant géant, semés et oubliés sur le tapis luxuriant de la forêt équatoriale.

Pourquoi cet endroit apparut-il adéquat aux yeux de Piotr ? Sans doute parce que, enfoncée dans les replis du Caucase occidental, la zone demeurait mal domestiquée, l'œil de Moscou y perdait sa puissance. Les Russes qui y avaient tenté l'aventure s'étaient vite repliés vers des villes plus propices, et avaient laissé place aux locaux, musulmans porteurs de sabres et fumeurs de tabac turc. Les scientifiques de la base, des Russes pour la plupart, avaient eux aussi déserté, préférant se percher dans les dortoirs de l'observatoire.

Ilona et Mina trouvèrent refuge à Bora au terme d'un voyage très long et très mélancolique. Elles avaient pris le train à la gare Pavelets, presque sans bagages, et s'étaient allongées sur la banquette de leur *koupé*, l'une impassible momie moyenâgeuse emmaillotée de bandelettes, et l'autre, méconnaissable sous l'accumulation de ses voiles, les cheveux rasés à la nuque et teints d'acajou bon marché, cachés par un foulard de viscose jaune à fleurs fuchsia. Ilona portait une blouse de travailleuse provinciale à manches longues, qui se déboutonnait sur le devant pour donner la tétée. Des lunettes d'écaille complétaient son déguisement.

Les trois jours de train se passèrent pour toutes les deux en larmes et en sommeil, ainsi qu'en brefs passages au wagon-restaurant. Ilona évitait la compagnie, mais se perdait parfois à écouter les conversations aux tablées voisines.

Le hasard fit par exemple qu'elle rencontra à plusieurs reprises le même couple, un petit vieux tout en os et une matrone éléphantesque, assis chaque fois à la même table, et accablés par le même serveur (un presque nain à taille très fine, la moustache comme deux pointes d'aiguilles) du même interrogatoire à la fois obséquieux et menaçant. Le serveur, un dénommé Leontès, ne prenait pas la peine de cacher son jeu de mouchard. Mais la nature des questions était ordinaire et répétitive, et les deux vieillards sur la sellette y répondaient toujours avec autant de soin. Ilona se demandait pourquoi, entre tous les voyageurs, sur une ligne fréquentée par la diaspora tcherkesse identifiée au terrorisme, ce mouchard-là avait choisi de tourmenter ces pauvres vieux rougeauds, archétypes inoffensifs des Moscovites de l'Arbat. Ilona épuisée sentait les larmes affleurer et agrippait Mina avec le pressentiment que l'Absurde, dont jusqu'ici elle avait si bien dompté les attaques, la tenait à présent à sa merci. Mais elle se réjouissait aussi de ne pas être l'objet d'attentions, ce qui paraissait miraculeux.

Mina, elle, ne semblait pas souffrir d'être ainsi empaquetée dans des langes amidonnés, si rigides qu'ils maintenaient le petit corps en position de gisant, les jambes, les bras et le buste enserrés dans un sarcophage de toile. Avec son chef couvert d'un bonnet de coton, elle ressemblait à une nymphe d'insecte tout à fait blanche, sculptée dans un marbre couleur de lait.

Elle appréciait quand les bandelettes se desserraient et que la main de maman touchant la peau des jambes, les fesses, rinçait l'humidité d'une lotion et enduisait de crème. Tout cela chatoyait, soulageait de la compression de l'état précédent. L'air vif frôlait le torse nu et le dos qui se délectaient des caresses. Durant les phases d'éveil, Mina percevait de grands aplats colorés, surtout du rouge et du vert, et une tache plus pâle dont elle découvrirait plus tard qu'il s'agissait du visage de maman.

Ainsi les détails attestant la tristesse d'Ilona lui échappaient-ils, mais pas, dans sa globalité, son aura changeante, soumise à des trous d'air et glissante comme une falaise de verre. Mina cependant ne s'arrêtait pas à ces perceptions vagues. Ce qu'elle préférait encore, c'était le moment où la crise de la faim se déclenchait et que maman chantait quelques notes annonciatrices, le temps de dévoiler ses mamelles

...Baiouchki baious... Baious baiouchki...

avant de faire adhérer Mina à ses propres replis.

Les préoccupations d'Ilona, quand elle ne dormait pas, allaient vers les énormes mouches qui vrombissaient le long de la fenêtre de leur *koupé*, acharnées à chercher l'issue d'un système verrouillé depuis toujours et qui avait l'apparence d'une sortie possible. Ilona les trouvait grosses et répugnantes, et les observait pour se gorger de dégoût.

Ces mouches-là sont aussi piégées que nous... Je ne vaux pas mieux qu'une mouche en ce moment.

Elle se disait qu'elle avait bien fait d'emmener son PSM, que rien ne renseignait sur l'avenir. Parfois elle susurrait à l'enfant endormi : « Je tuerai pour toi s'il le faut, je tuerai... » Et elle sanglotait en baignant Mina de ses larmes. Mais parfois, elle se sentait ruisseler de confiance et de gratitude, saisissait sa petite larve et lui plantait sur la face tendre des centaines de baisers frénétiques.

À leur arrivée en gare de Tcherkesse, après trois jours de train, elles furent accueillies par des amis de Piotr, qui les saluèrent en langue adyguée. Il y eut encore presque quatre heures de voiture pour rejoindre la cité scientifique de Bora, située en contrebas de mille mètres de la station Arkhyz. Le ventre d'Ilona se remit à la faire souffrir. Elle craignit que ses pansements, changés à la va-vite dans les toilettes maculées du train, ne devinssent un rabot pour ses plaies. Assise à l'arrière de la Lada, Ilona contempla d'un œil maussade les paysages encaissés et vils, parcourus de lacets boueux et de troupeaux de chèvres sauvages, aux poils aussi longs que des guenilles et qui bloquaient la route à tout bout de champ. Ils essuyèrent par deux fois une pluie diluvienne qui les encastra dans une gangue de noirceur.

Une fois parvenue à leur chambre et la porte refermée sur elle, une fois la valise posée sur le lino du parquet de série, Ilona se dévêtit sans lâcher son bébé et, sans jeter le moindre regard aux meubles dénués de toute âme, ni au paysage absurde et vert qui rayonnait à travers la trouée moderne des fenêtres, ni aux accessoires tout aussi absurdes (rideaux fleuris, éviers et cabinets phosphorescents de blancheur, cadres en laine représentant Lénine), elle se dénuda habilement jusqu'au corset endolori, qu'elle décrocha d'un doigt. Le lit était prêt, une vieille femme en foulard l'avait enveloppé de draps et de couvertures montagnardes avant son arrivée. Une peau de bête et un poignard étaient accrochés en guise de décoration, juste au-dessus du linteau. Ilona s'y allongea, avec Mina.

Les cloisons des murs étaient fines et le bruit des existences des habitants de l'immeuble, comme à Moscou, parvint jusqu'à leur silence. Ilona s'abandonna et elle laissa le grésillement fantôme du voyage la traverser et la fuir, s'éteindre comme une onde, puis elle s'endormit auprès de sa fille, qui continuait à boire son corps nu et marbré, exténué, son buste cassé d'odalisque. Le chant du muezzin s'éleva comme un feutre glissant sur la rumeur du monde sans que ni l'une ni l'autre n'en eussent conscience, et l'air soudain devint plus raffiné et plus suave tandis que le soir s'affalait sur les reliefs et les sertissait.

Ilona marche devant. Mina a ralenti. La pente qui mène à la maison, dans sa partie arrière, est trop raide et Mina la grimpe en somnambule, le souffle perdu. Elle ralentit encore, s'arrête, et réclame une cigarette. Sa mère d'abord ne l'entend pas, mais quand Mina répète sa demande, un peu plus fort, Ilona sort de son rêve. Elle se retourne et tend une cigarette à sa fille. Dans ce mouvement, les pensées et les souvenirs qu'elle roule dans son esprit subissent un choc qui les trahit. Mina, affaiblie, jette un regard à sa mère. Elle a compris.

— Tu penses à Bora, Ilonka, Mat Materi…

Ilona ne répond pas, elle en est incapable. Elle tremble parce que Mina ne l'a pas appelée ainsi depuis leur départ du Caucase. Mina allume son briquet et sourit. Un étrange sourire, qu'Ilona ne lui connaît pas.

— Moi aussi j'y pense, tu sais. Qu'avons-nous eu de meilleur ? Je veux dire… toutes les deux ?

Ilona prend une cigarette à son tour. Mina s'est adossée à un muret, un pas la sépare du cercle de lumière directe projetée par le réverbère, elle n'en reçoit qu'un éclat incident, couleur topaze. Ilona se rapproche, sa fumée s'enroule à celle de Mina, pailletée de gris sous la douche du même halo. Elle contemple la beauté de sa fille. Elle voudrait la prendre dans ses bras, la serrer jusqu'à la fin du monde, étancher la grande soif qu'elle a d'elle.

— Qu'avons-nous eu de meilleur ? répète Ilona.

Mina enchaîne comme si elle n'avait pas entendu la question de sa mère. Ses yeux sont clos. Elle parle en français, mais le débit est lent, comme si elle ne retrouvait plus son chemin dans cette langue.

— Parfois il me semble, comme ce soir, Maman... Tu te souviens peut-être de la rivière qui coulait en contrebas de la montagne... Les chèvres venaient y boire. Je m'y baignais avant que... Tu te souviens aussi que tes ruches se sont vidées un matin... elles ont... débordé de cadavres, tu te souviens ? Je les ai retrouvées, tandis que tu... Et tu m'as... tu m'as consolée... tu nous as consolées en fabriquant ce collier... un collier fait du corps... doux comme des peluches... des abeilles mortes... À moins que...

Ilona secoue la tête. Elle forme des mots avec ses lèvres, mais rien n'en sort. Mina continue.

— Et puis nous sommes parties, avec la mort aux trousses, pour ne plus jamais nous arrêter de fuir. Les hommes qui nous cherchaient, Maman… Ceux que tu as tués ce matin-là… Ce sont eux qui ont empoisonné la ruche, n'est-ce pas ? Dis-moi, dis-moi Maman que ce n'était pas toi. Pas toi qui as empoisonné la ruche.

TROISIÈME PARTIE

« À une certaine profondeur, le secret de l'Autre ne diffère pas de notre propre secret »

René GIRARD

1

Sacha, à peine réveillé, transporta sa tasse de café de la cuisine de sa studette jusqu'à la table de travail, située sous la lucarne qui gonflait le toit d'ardoise de sa maison. Il ouvrit son cahier, celui sur lequel depuis plusieurs années il consignait ses notes et le plan, sédimenté de ratures et de corrections multiples, de son grand œuvre. Il en parcourut les premiers signes avec un sentiment croissant d'amertume, au point de s'interrompre et de refermer le grand calepin. Il passa une main rageuse dans ses cheveux, frotta son visage avec une vigueur punitive. L'aurore approchait et Sacha sentait s'élever un trouble qui lui susurrait que sa pièce ne valait rien, que c'était un gâchis, et que lui, Sacha, ne valait rien non plus.

Son projet, porté pourtant par une foi qui lui avait paru inaltérable, se défaisait à présent. Il s'affaissait à la manière d'une construction de sable avalée par la marée montante. Un château d'enfant.

Sacha se mit à se balancer sur les pieds de sa chaise, tandis qu'il faisait tourner la bague entourant son annulaire. Son acharnement à se prétendre artiste, sans aucune œuvre, sans même l'énergie nécessaire pour en produire une, relevait de la pure stupidité. Ce qu'il avait ramassé dans son cahier n'était pas de l'encre, mais un résidu de suie.

Le thème abordé, d'abord, celui d'une famille déchirée par le retour au bercail du fils aîné, pâlissait dès que Sacha tentait d'en tirer quelque chose. Le ton ensuite, dont Sacha ne savait plus par où l'attraper, semblait rebelle à toute prise, comme s'il avait eu à manier une bestiole aux pattes frétillantes.

C'était la première fois que Sacha se décourageait ainsi. Il y avait plusieurs explications à cela, la première, évidente, étant qu'il vivait une période d'épuisement. Les nouveaux horaires d'automne aux Goélands argentés le sollicitaient très tôt le matin, à rebours de ses habitudes.

Peu à peu, en quelques jours, il avait perdu le lustre de gaieté et d'insouciance qui le protégeait contre les mille rudesses infligées par la vie ordinaire. Un malaise grandissait en lui. La fatigue induisait un desserrement profond de ses codes, une perte de repère qui, chez un jeune homme aussi sensible, pouvait mener à un effondrement. Le travail ne lui laissait plus le temps de rêver, de s'extasier, et le contraignait sans cesse à ouvrir les yeux sur les lacunes du réel.

Mais il y avait autre chose, de bien plus déterminant et ravageur.

Le face-à-face avec Eva et la déception qui s'était ensuivie avaient clôturé la période des songes qui perdurait depuis *Le Prince travesti*. Il n'y avait plus de retour en arrière possible, et une sorte de panique grondait en sourdine, lancinante, n'éclatant jamais tout à fait.

Dès leur première rencontre, Eva lui avait désigné ses illusions. Sacha s'était senti tout à coup friable et immature. Il avait poursuivi durant des années une figure impossible et sa quête cessait brutalement, sans qu'il puisse s'expliquer en quoi l'existence de cette femme lui était devenue si indispensable.

Auparavant, le rôle crucial de la Mère, dans sa pièce, prenait les traits d'Eva. Sacha écrivait pour son visage, ses gestes, sa voix fantasmée. C'était un rêve encore fécond tant que se maintenait la réserve respectueuse, enroulée des voiles de l'idolâtrie. Or ce qui s'était passé entre eux à la suite de leur rencontre au Donegan, et la gêne installée désormais, menaçaient son équilibre.

Sacha reprenait sans cesse le déroulement de cette soirée. Il se demandait ce qui serait arrivé s'il n'avait pas envoyé ce texto, sur un coup de tête, pour demander à Eva de le rejoindre au pub. Il s'en voulait d'avoir cherché à se manifester ainsi, tandis que se pressentait la catastrophe. Pire encore, il avait enclenché quelque chose de funeste en acceptant de revenir chez Eva après l'avoir raccompagnée. Il aurait dû fuir cet appel. Il avait refusé de l'embrasser devant sa porte, pourquoi accepter ensuite de remettre ces limites en jeu ?

Au lieu de ça, il était retourné sur ses pas, sachant le risque encouru, mais incapable de s'y soustraire.

Sacha, revenez, j'ai quelque chose pour vous. Je vous interdis de le refuser.

Elle l'avait accueilli dans la pénombre du salon, le regard baissé. Sa chevelure disparaissait, avalée par l'ombre, et le visage empourpré se détachait dans toute sa naïveté. Le silence amplifiait ses frémissements. Sacha avait eu un mouvement pour cacher son malaise. Hypocritement, il avait ouvert la bouche pour demander à Eva ce qu'elle voulait lui donner de façon si urgente. Mais Eva s'était jetée sur lui et l'avait embrassé, le corps collé au sien, la fine étoffe de sa chemise brûlant sur sa poitrine, haletante, éperdue. Sacha avait commencé par se débattre, mais s'était senti très vite plier et, comme un fou, s'était mis à rendre ses baisers à Eva, la puisant profondément avec sa langue, éperdu à son tour. Il l'avait déshabillée sans regarder le corps qu'il dévoilait, les yeux douloureusement clos, en grognant un peu, la tête enfouie contre le ventre d'Eva.

Quand il y repensait, il ne pouvait se figurer comment son désir avait pu prendre une forme aussi débridée. Il se sentait humilié. Il avait joui très vite, extrêmement fort. Une fois vidé, il avait contemplé Eva, son expression de triste pâmoison, sa nudité profanée. Et au lieu de l'enlacer comme il en avait eu l'envie, il avait fui.

Depuis ce moment, Sacha évitait Eva et il n'écrivait plus. Même si Eva avait définitivement piétiné sa propre auréole en se donnant de cette manière, Sacha était incapable d'imaginer l'incarnation de son personnage avec un autre visage, un autre corps que celui d'Eva. Ainsi se trouvait-il impuissant, bloqué.

Plus encore, l'image d'Eva flottait partout, en toutes choses, dérisoire et avilie, mais inexorable. Loin de diminuer, son obsession s'était accrue dans des proportions écœurantes.

Son téléphone portable émit un son semblable à un aboiement. Sacha finit son café et fit quelques pas pour désamorcer l'alarme qui beuglait sur le flanc de son duvet posé à même le sol. Il enfila un jean neige, qu'il noua à sa taille très fine par une ceinture en corde. Son torse était musclé et sa peau gardait la souplesse chaude de l'enfance. Il compléta sa tenue d'une chemise à rayures et d'un pull en laine épaisse torsadée, lissa ses sourcils et sa moustache naissante, sortit en trombe, son caban à la main et son bonnet rouge sur sa tête d'oiseau marin. On ne lui aurait pas donné quinze ans. Pourtant, Sacha en avait plus de vingt-huit.

Il descendit la rue de la Somme et tourna sur le quai Toudouze. La maison de retraite apparut au détour de la rue Sévellec et Sacha réalisa pour la première fois que l'édifice ressemblait à l'hôtel d'un film des Marx Brothers. Le berceau d'une suite de farces.

La pénombre ne s'était pas encore tout à fait dissipée quand il entra en service, vêtu de sa blouse blanche. Il s'agrégea à l'équipe des toilettes qui faisait sa ronde de fin de nuit. Ses soucis et ses doutes s'éclipsèrent tandis qu'il prodiguait des soins à son premier pensionnaire.

Vers 10 h 30, il se rendit en salle de repos pour prendre un café. Il consulta son téléphone. Un texto s'affichait, posté à 9 h 37 : « Rejoignez-moi dans la chambre de ma grand-mère, après la messe. » Il sourit involontairement en constatant qu'Eva le vouvoyait toujours. Puis effaça le message d'un glissement de pouce.

Sacha sortit de la salle de repos, en proie à un léger vertige, comme le début d'une grippe. Il reprit son téléphone. Tout en marchant à l'aventure dans les couloirs, il se mit à chercher sans grande conviction dans son répertoire un ami à qui il pourrait se confier. Mais il dut se rendre à l'évidence, il ne partageait d'intimité avec personne, une intimité suffisante du moins pour exposer le secret de son obsession.

Expliquer son attirance pour une femme vieille, pas vraiment séduisante, en tout cas beaucoup plus laide que ce qu'il avait déjà eu l'occasion de caresser, le ferait passer pour un pervers. Et c'était de la perversion, Sacha l'admettait. La honte lui serra le cœur. Il n'aurait pas dû la revoir, tout simplement. Un instant, lui revinrent les sensations naïves de ce qu'était sa vie avant de la revoir. Animée d'un idéal, certes absurde, mais sain et limpide. Aujourd'hui tout était rouillé.

En désespoir de cause, il composa le numéro de son père, qu'il n'avait pas eu depuis plusieurs semaines. La sonnerie retentit pendant un long moment dans l'écouteur, mais Emil finit par décrocher. Sa voix altérée dans le combiné étonna Sacha, c'était une voix mate, sans résonance, qu'on aurait dite rongée de l'intérieur. Aussitôt Sacha regretta d'avoir cherché du réconfort auprès de lui. Depuis la mort d'Hayat, la mère et l'épouse, plus rien ne les faisait se rejoindre.

Emil le salua sans chaleur, en turc. Sacha l'écouta dérouler le récit des dernières semaines. Emil énuméra les repas, les émissions, les lectures, puis questionna Sacha sur sa santé, son appétit. Celui-ci répondit avec patience. Il y eut un silence. Sacha s'apprêta à prendre congé. De toute façon, il viendrait dimanche prochain dès sa journée de travail terminée. Il promettait.

Sacha raccrocha. Puis dans un même mouvement, fracassa son téléphone sur le béton de la cour. La violence de son propre geste le stupéfia et il demeura un long moment interdit.

Une pluie diluvienne se mit à tomber, comme d'un baquet percé. L'eau se mit à dévaler ses joues, son torse, les jambes de son pantalon. À ses pieds l'appareil disloqué formait une constellation luisante de plastique et de silicone.

Il parvint à se ressaisir et marcha vivement vers une chambre qu'il pensait choisir au hasard, l'ouvrit et se réfugia au sec. Une fois à l'intérieur, Sacha prit conscience que son cœur battait la chamade et que ses poings tremblaient.

Ce n'était pas grave. Pas grave. Il avait besoin de quelques instants de solitude, avant de reprendre son travail. Les préparatifs du repas allaient commencer. Son équipe allait le chercher. Il lui suffirait de quelques minutes pour reprendre son souffle.

— Je suis fatigué, ce n'est rien. J'ai juste besoin que...

Mais Sacha fut incapable de finir, il suffoquait.

L'obscurité se mit à le gêner et il fit un tour sur lui-même pour chercher une source de lumière. Ses bras nus étaient hérissés de froid et dépassaient de sa blouse, encore trempée.

Quand, enfin, il cessa de tourner le dos au lit, il s'aperçut qu'il n'était pas seul.

Une femme extrêmement vieille, et pas seulement vieille, mais desséchée par une puissance inconnue qui n'avait laissé qu'une armature grêle d'os et de tendons, était assise en amazone sur son lit et l'observait de ses deux yeux privés de cils.

Cette femme, c'était Ilona, la grand-mère d'Eva. Sacha avala sa salive. Il lui semblait la voir pour la première fois.

Elle ne portait aucun vêtement, sa robe de nuit, son peignoir et sa couche gisaient à ses pieds. Les seins s'allongeaient sur sa poitrine comme deux courges liquéfiées. Les épaules étaient couvertes d'une chevelure encore dense, mais grise, mouchetée de salissures. Sa tête s'agitait de chevrotements. De la main droite, elle pressait contre son ventre nu un livre recouvert de cuir. Au cou elle portait un collier composé d'une ferraille terne incrustée d'éclats de pierres couleur émeraude. Sacha ne lui avait jamais vu cet accoutrement, cette pose, cet air de galanterie morbide. Les breloques augmentaient sa ressemblance avec une momie.

Une Dame de Pique.

Sacha recula, horrifié. Il voulut s'exprimer, retrouver le ton qui convenait, mais il ne parvint pas à se ressaisir. La femme se leva en se coulant hors du lit et, pieds nus, commença à marcher vers lui.

Quand elle arriva devant Sacha, elle se tint droite en face de lui et parut rayonner de joie. Son buste heurta la poitrine du jeune homme, et aussitôt elle s'effondra. Sacha eut à peine le temps de retenir sa chute. Il la prit dans ses bras, le plus fermement qu'il put, et pendant quelques instants Ilona y fut rien de moins qu'une princesse. Elle se lova en fixant Sacha avec gratitude.

En deux enjambées, il fit le trajet inverse et la recoucha dans ses draps. D'un geste il couvrit sa nudité. Le collier formait une bosse sous la couverture. La vieille femme conservait cette expression de soulagement sensuel qui lissait ses traits de murène. Et tout à coup, elle lâcha le livre qui vint glisser aux pieds de Sacha.

Il le ramassa, tandis qu'elle semblait se rendormir à demi, et s'assit sur le fauteuil qui faisait face au lit. Sans réfléchir, il ouvrit le livre qu'il tenait sur ses genoux.

Il s'agissait d'un récit au jour le jour, d'une narration à la première personne, comme un journal intime. Pourtant, il ne reconnut pas la langue qui était utilisée. Il lui fallut du temps pour percevoir des signes connus, des noms appartenant à des séquences reconnaissables. Puis Sacha fut surpris de constater que certains mots avaient une parenté avec le turc.

— C'est une langue altaïque…

Il continua à feuilleter. Au bout d'une vingtaine de pages, on passait à une autre écriture, et à une autre langue. Du cyrillique ? Cette fois, Sacha ne comprenait plus rien. Le seul mot qui se distinguât par sa récurrence était MUHA.

Sacha referma le livre et s'assit à côté du lit. Il passa deux fois les doigts dans ses cheveux et regarda le visage de cette femme, travaillé par l'approche de la mort et qui portait les stigmates de tous les âges traversés.

Il allait se lever quand tout à coup une voix fraîche quoique suraiguë résonna à la porte.

Sacha eut la tentation de se cacher, mais le temps lui manqua. Devant lui, Eva ruisselante, les cheveux allongés par le poids de la pluie, essuyant des larmes invisibles, se tenait dans l'encadrure. Derrière elle, un peu plus petite et tout aussi trempée, dépassait la silhouette massive d'un prêtre noir.

2

Mina ne se souvient plus du détail des dernières journées passées dans le Caucase, à Bora. Elle avait douze ans quand le séjour de la mère et de la fille s'est interrompu et ces souvenirs se sont troués comme lorsqu'une cigarette s'approche trop près d'une photographie. Le cadre demeure, poinçonné de lacunes étranges.

Elle est capable en revanche d'évoquer pour elle-même avec une certaine clarté ce qui faisait son quotidien pendant les douze années passées dans les montagnes. Aucun document ne reste à Mina pour ressusciter cette période bénie, elle ne peut s'appuyer que sur les ressources de sa mémoire.

Son école se trouvait à la sortie du village et, pour s'y rendre, Mina empruntait, au petit matin, la route principale que les silhouettes des écoliers chargés de cartables aux boucles d'or, éclairées par les lampadaires, parcouraient telle une procession de hannetons aux carapaces réfléchissantes. Ses cheveux noirs s'entortillaient du rouge éclatant des parures juvéniles. Elle était vêtue d'une blouse immaculée brodée de dentelles d'usine.

L'école était une étoile naine, embusquée dans un pli à l'orée du bois tropical qui encerclait Bora. Elle se dressait, encadrée par des plantes aux feuillages si larges, si touffus, si inquiétants, qu'on les aurait dits garder l'entrée d'une bouche pour l'autre monde. Les bûcherons, des hommes aux torses nus et luisants, y maniaient la cognée sans regarder les femmes, confrontés sans répit à la repousse des végétations abattues. Seuls les Russes des grandes villes dont les parents travaillaient à la base d'Arkhyz fréquentaient l'établissement. Autant dire que très peu d'élèves s'y retrouvaient, peut-être dix, âgés de deux à quinze ans. Les autres enfants, les bruns, les musulmans adygués, recevaient l'enseignement coranique clandestin, dans une école située un peu plus haut au creux d'une pente de l'ouest. Les deux flux se croisaient comme des traînes de fantômes.

Même si on n'était plus en terre russe, la maîtresse de tous les enfants, Aglaia Philipovna Petipa (d'ascendance française, reliée par son grand-père Marius Mariusovitch au célèbre chorégraphe du Bolchoï), mettait un point d'honneur à reconstituer au plus analogue les conditions des grands centres, Petersbourg en particulier, qu'elle connaissait pour y avoir vécu ses années les plus brillantes. Mais elle y ajoutait un charme qui lui appartenait. Elle caressait son boulier comme une lyre, de ses doigts longs et laqués, parfumait le cuir de ses bijoux, le coton de ses robes et sa peau aigre, d'un musc que Mina rapprochait en rougissant d'une senteur plus intime et qui aromatisait son sillage de femme célibataire. Aglaia portait les cheveux courts et une frange très droite qui masquait son front bombé, dégageant de surréelles pommettes juchées en équilibre au bord des paupières inférieures.

Aglaia aimait les mathématiques, toutes les sciences et les Arts, parlait plusieurs langues et croquait sur l'heure de midi la chair dure de fruits non identifiés de ses grandes dents, de sa bouche toujours maquillée.

Mina adorait Aglaia, même si elle la craignait. Ses camarades de classe en faisaient autant, et la vénéraient à l'instar d'une prêtresse. Et de fait, sa personnalité volontiers mystique et profératrice concourait à l'établir comme le chef d'un culte souterrain. Les lieux étaient désertés par les parents, eux-mêmes occupés à la base spatiale depuis l'aube jusqu'au couchant dans un autre cercle abondant en mystères. La petite cohorte de cœurs et d'esprits innocents était livrée à son pouvoir, avalée chaque matin par la porte délimitant le seuil d'un autre monde, et soudée à jamais par cette expérience.

Si le dehors était le ring de sable où se déroulait le combat entre le béton, champion du soviétisme, et la forêt, walkyrie exubérante crachant comme la mauvaise sœur, à chaque parole des seaux de serpents verts, le dedans de l'école était un havre blanc à la pureté sans cesse ritualisée. Les incantations consistaient en la récitation des tables de multiplication, celle des poèmes de Blok, de Goumiliov et de Pouchkine, des capitales des Républiques aux noms de houppette posée sur la poudre de riz d'un boudoir, Douchanbé, Kuizichev, Tashkent…, des hauts faits des révolutionnaires français échevelés, fracassant les chaises dorées de Versailles et fouillant sous les corsets en brioche des marquises, des découvertes des savants de la Renaissance armés d'instruments d'optique à longs cols de cygne noirs. Ses préceptes alignaient les noms d'arbres, de métaux, d'éléments chimiques vaporeux, de peintres et de statuaires grecs, flamands et anglais, d'équations complexes décomposées avec chaleur, des récits d'aventure où des baleines virginales suçaient les os des hommes méchants. Le savoir du monde entrait dans la petite classe comme le vol rapide d'une nuée d'oiseaux engouffrés dans le chas d'une aiguille. La raison n'y était pas présentée sur une table de dissection, mais pétrie d'une levure aux vertus aussi magiques qu'ambiguës, à l'image de leur institutrice, choreute apollinienne et vestale à monture d'écaille. Et les petits en gobaient la manne passée de bouche en bouche.

Mina fut l'enfant de Bora qui connut la plus longue exposition aux méthodes d'Aglaia. En effet, Mina lui fut confiée dès son arrivée. Aglaia lui apprit à marcher, tout en prodiguant des leçons de botanique et de littérature aux plus grands. Mina fut son Eurydice, son Héra et sa Melpomène sur la scène des productions de fin d'année. Elle fut son coryphée et sa Jane Eyre, sa jeune fille à la perle.

Quand Mina fut arrachée, après douze ans, à son enseignement sacré, pour entrer dans une sorte d'enfer cousu d'un fil inconnu, la douleur fut assez profonde pour ne jamais se refermer et pour justifier la recherche éperdue de la porte au feuillage dense, où qu'elle se trouvât.

Qu'était la mère de Mina, durant ce temps ? Ilona vivait une période de latence, elle n'était plus qu'un personnage, un pion d'échiquier sur la base spatiale. Ses antennes s'étaient éteintes, toutes ses communications avec l'extérieur, débranchées. La vie d'avant avait fini de brûler. Pourtant l'intimité entre la mère et la fille ne se relâcha jamais, sans doute parce que le masque de normalité arboré par Ilona affichait quelque chose d'authentique, que l'enfant pouvait lire sans être dupée. Il n'y avait pas tromperie pour Mina, sa mère était bien cette travailleuse zélée, bonne cuisinière (avec les « moyens du bord ») et bonne couturière, qui ne perdait le contrôle d'aucun de ses gestes, sauf ceux dans lesquels éclatait sa tendresse. Après tout, Mina n'avait jamais connu d'elle que cette silhouette mince enveloppée d'une blouse informe et coiffée d'un foulard, toujours le même, obérant une chevelure qu'on devinait noire (même si avec les années Mina devait apprendre à en teindre la masse moutonnante d'une blondeur refoulée), ce visage noble, aux paupières plâtrées de bleu, voilées de lunettes triviales. Aucun homme ne franchissait le seuil de leur appartement, quoique à l'évidence certains techniciens de la base, à les voir rôder et former des cercles sur le sable disposé au pied de l'immeuble, auraient bien reçu de la part d'Ilona un sauf-conduit.

Mina et sa mère ne recevaient personne, pas plus d'hommes que d'amis ou de connaissances, encore moins de famille. Mina désormais en connaît la raison. À l'époque, elle ne voyait aucun inconvénient à cette vie recluse, concentrée l'une sur l'autre, mais ouverte sur le monde d'Aglaia. Mina naviguait d'un continent à l'autre, d'Aglaia à Ilona et d'Ilona à Aglaia, heureuse que cette boucle la fît voyager comme un marchand des routes de la soie. Ilona donnait pour explication à leur solitude le secret qu'elles partageaient et qu'il leur fallait cacher dans leur univers, à savoir la Foi dans le Christ.

Au retour de l'école, si elle n'était pas déjà désignée ce jour-là au soin de la ferme miniature qu'Aglaia avait mise sur pied dans leur cour (un âne et une chèvre de race naine, qui ne grandirent jamais, ainsi que deux très belles sabelpoots citronnées de race naine elles aussi, qui pondaient des œufs immangeables), Mina rentrait dans le sanctuaire de leur appartement au moyen d'une clé plus choyée qu'un trésor, pendue à son cou par une chaîne arrangée d'un ruban rouge semblable à celui en usage pour les nœuds d'apparat capillaire. Elle y retrouvait un ameublement standardisé, pliable et fonctionnel (le canapé du salon, la table de la cuisine et les chaises, la ménagère en pyrex, les abat-jour en crépon), mais aussi les artefacts empruntés aux cultures tutélaires du lieu : le portrait de Lénine en broderie de laine qu'Ilona conservait comme le témoin de son arrivée dans les lieux, et le sabre rayant la peau de chèvre, demeurant pour les mêmes raisons. S'y ajoutaient les conventionnelles bibliothèques exposant les ouvrages de Viktor Giougo, d'Aleksandr Douma, et puis de Pasternak et Tolstoï. Mais à elles deux, mère et fille, elles étaient parvenues à transfigurer cet intérieur pour en faire l'habitacle d'un démon familier, identifié comme l'esprit de Varlam.

Ainsi dans les vases transparents disposés çà et là sur la marqueterie, traversés d'une lumière assez veloutée pour en faire apparaître les minuscules nymphes dansantes, s'ébouriffaient des fleurs aussi splendides que des têtes tranchées d'Holopherne, holocauste qui signait leur victoire momentanée sur cette époque laide et féroce.

Ilona descendait de la base spatiale après sa journée de travail par ses propres moyens, sans utiliser le bus mis à la disposition des ouvriers et des techniciens (les ingénieurs possédaient des voitures). Elle ne manquait jamais de cueillir un bouquet de fleurs fraîches, qu'elle rapportait avec les flocons de sarrasin et le lait, les dattes et les tranches d'arbouses juteuses. Mina l'attendait en faisant ses devoirs, terminant une maquette, récitant un rôle ou décodant une équation. Quand Ilona arrivait, il était temps de faire refluer la présence d'Aglaia comme un génie rentrant dans sa bouteille, pour laisser la place à celle qui investissait les lieux. La soirée continuait à flamboyer dans la cheminée de béton de leur ruche soviétique et l'écho ténu de la civilisation fumait avec des crépitements de bûche, tancé avec dédain par la forêt gigantesque, qui secouait toutes ses brides, plongeait ses griffes dans la terre noire et débordait d'une joie velue de sorcière.

Ilona et Mina demeuraient en silence, à genoux devant l'icône de la Vierge, et tandis que les nuits roulaient comme les années, Ilona déversait dans le cerveau de Mina les germes d'une foi dont Varlam était l'inventeur.

Ce dispositif fort régulé trouvait une parenthèse dans les vacances d'été. L'école s'achevait à la fin du mois de juin, au terme de festivités menées par Aglaia, préparées des semaines durant : une pièce entière était jouée sur le sable du terre-plein central, transformé en arène. De longues fêtes suivaient la débauche de joie de ces occasions, où l'on remerciait la maîtresse, saluait les finissants, invitait les parents. Puis c'était le départ, pour tous les actants, rappelés enfin vers les villes blanches qui les avaient vus naître. Aglaia elle-même désertait son asile.

Ilona et Mina restaient seules de leur communauté dans la fourmilière pétrifiée. Commençait alors un ensauvagement de deux mois, où mère et fille, dégagées de toutes leurs obligations, cédaient enfin aux incantations de l'esprit des lieux. Mina s'ébrouait dans le ruisseau et Ilona plus muette que jamais prodiguait rêveusement ses soins à ses ruches. Mina galopait dans la boue, se lavait à plat ventre dans le cours d'eau, se tordait les chevilles sur les pentes humides et s'écorchait aux buissons épineux porteurs de baies succulentes (quoique laxatives). Durant cette digression estivale, les rituels chrétiens n'avaient plus leur place, on suivait d'autres lois plus souterraines.

À la fin de l'été de ses douze ans, alors qu'après six semaines de déambulations sa peau se recouvrait des écailles de la boue, du jus d'herbe et de la lymphe terreuse des sous-bois qu'elle parcourait, certains signes de métamorphose se mirent à affleurer, précurseurs d'une éclosion imminente. Éclosion de quoi ? Mina aurait été incapable de le dire.

D'abord les indices furent imperceptibles. Mais très vite, l'accélération apparut fulgurante, les signes tambourinèrent avec insistance, puis devinrent une meute d'assiégeants, jusqu'à ce qu'enfin surgisse le vrai visage de l'assaillant, et que le temps du réel agrippe le temps du mythe et lui torde le cou.

Comment Mina, qui n'avait rien connu d'autre que cette respiration fluide entre les mamelles de l'immense louve, aurait-elle pu imaginer que son enfance pulvérisée deviendrait si vite aussi inaccessible ? Comment aurait-elle pu envisager la disparition de son propre monde ?

Il lui arrive souvent de penser à ce qu'Ilona vivait dans le même temps, elle pour qui, contrairement à Mina, les signes étaient apparus d'une clarté d'eau de roche. Qu'avait-elle ressenti, sa mère, en constatant la présence d'un feu de rive mal éteint au petit matin, à la place où elle avait l'habitude de venir se lover et de mêler la laine mousseuse de son châle au sable moite ? En lisant sur la bague dorée du mégot abandonné au centre du cercle de bois noirci la marque de cigarette iranienne Shiraz, les cigarettes préférées des hommes de Gleb ? En déchiffrant l'écriture griffonnée par des semelles d'hommes et en dévoilant les vestiges menaçants d'une tulipe, symbole de leur clan ?

Mina se demande de quoi elle se souvient au juste de cette journée. Elle n'en conserve qu'une série d'impressions, dont les émotions ont été désynchronisées.

Ce matin-là, Mina s'était levée tard, dans un demi-sommeil elle avait entendu sa mère sortir et elle avait conclu qu'Ilona se rendait sur la petite plage qui bordait son ruisseau. Elle décida de ne la rejoindre qu'après son petit déjeuner. Elle n'avait pas d'appréhension particulière. Pourtant elle remarqua que la hachette adossée au panier de pommes de terre avait été déplacée, son manche de bois et son reflet tranchant manquaient dans le tableau formé de toute éternité par la cuisine. De plus un mouchoir brodé, que Mina n'avait jamais vu auparavant, gisait à terre. La petite fille descendit dans la cour et gonfla ses poumons de l'air brûlant et humide, annonciateur des pluies torrentielles de l'après-midi. Le soleil était assez haut.

Mina tomba d'abord sur le cimetière d'abeilles. Ses pieds chaussés de pantoufles d'une toile fine comme une monnaie de pape sentirent le renflement sporadique du sol. Ses yeux se tournèrent vers la terre et contemplèrent des corps d'insectes morts, puis sans émotion, la rive, située à une centaine de mètres de là.

Elle perçut à travers la futaie de chênes verts aux glands colossaux un bruissement qu'elle n'identifia pas. Puis le couinement d'un lièvre pris au piège. Quittant le tapis massacré, Mina approcha. Le râle de la bête s'étoffait, commençait à s'articuler à d'autres et par instants se couvrait de miaulements rauques, un peu comme le roulement d'une scie. Mina continua d'approcher, mais déjà, elle sentait à chaque pas s'envoler les images de paix et de confiance engrangées en elle et qu'elle croyait indélogeables.

Quand Mina eut franchi la distance qui la séparait de la rive et qu'elle parvint à la vision, son bonheur avait brûlé comme un encens.

Sa mère couchée sur le dos se débattait avec férocité sous la pression d'une masse de chair mâle. Les deux visages, presque collés l'un contre l'autre, ruisselaient d'un sang rouge, plus que rouge, écarlate, et abondant à un point qu'on les aurait dits douchés, baignés du hoquet jaillissant d'une fontaine. Tout à leur combat, ils ne prêtèrent aucune attention à Mina. Non loin d'eux, les corps de deux autres hommes gisaient dans des postures obscènes, les membres mouchetés d'un sang noir. Les blessures qui trouaient leurs corps ressemblaient à d'horribles poches éclatées. Mina posa de nouveau ses regards sur la bataille en cours.

Ilona, éclaboussée de liqueur vermeille, ouvrait des yeux bleus contusionnés, phosphorescents, habités par une rage où se lisait la haine de l'homme et de sa force, la détresse furtive et le désir furieux d'anéantir cette puissance. Au-dessus d'elle, l'homme l'ensevelissait et la baptisait de sa salive, d'une longue langue trempée.

Tout à coup, Ilona parvint à agripper l'oreille de son assaillant et d'un mouvement surexcité à la lui sectionner. La brute recula moins sous le coup de la douleur que de la surprise de trouver dans la bouche de la femme qu'il punissait son propre organe, intégral et luisant. Ce retrait signa sa défaite, une seconde plus tard, le canon du PSM, récupéré, détonait contre la tempe déjà meurtrie et explosait la boîte crânienne, n'en laissant plus qu'un rachis inabouti qui s'agita comme la queue coupée d'un chien avant que le corps entier ne s'affaisse.

D'un bond, Ilona se dégagea, possédée par un dieu qui la rendait méconnaissable, et saisit la hachette. Elle l'abattit sur le corps inerte comme on sarcle une terre collante, par à-coups résolus, mais brefs, saccadés, le buste à l'horizontal sur des jambes arquées. Quand elle se redressa enfin, sa face pantelante ruisselait, sa robe déchirée découvrait une nudité suintante de sang, empourprée de zébrures, et à l'endroit où les mains d'hommes s'étaient posées, avaient serré et manié la blancheur, de terrifiantes traces noires. Ilona croisa alors le regard de Mina et y resta plongée, longtemps encore, en reprenant son souffle, en regonflant ses poumons au sifflet presque crevé.

Puis Ilona se contenta de libérer ses pieds du cadavre, de faire un tour sur elle-même et de rejoindre l'eau glacée de la rivière qui prit à son contact une teinte de cassis. Mina l'attendit sur la rive.

Après ? Mina ne se souvient pas de leur départ, ni même, dans les détails, de leur transport. Tout perd ses contours et s'obscurcit.

Après la scène de la plage, Mina a été engouffrée dans un sac et emportée avec vélocité, comme l'exact équivalent du contenu compressé d'une valise, puis, à mesure qu'une durée s'installe, à la manière d'un mannequin vivant et docile, enfermé dans le caisson d'un prestidigitateur. À peine a-t-elle, durant tout le temps du transfert, le souvenir d'avoir ouvert les yeux ou d'avoir eu accès à la lumière. De son enlèvement de Bora jusqu'à l'installation à Marseille, elle est demeurée aussi hébétée qu'on peut l'être face à un tour de passe-passe dont on ne démêle pas le truc.

À trois reprises pourtant la petite fille a ouvert les yeux, s'est pénétrée d'impressions vives, de sensations embrouillées.

De la première fois qu'une sorte de conscience s'est éveillée, Mina retient le mouvement oscillant d'un navire. Elle est confinée dans ce qui s'apparente à une barrique de bois (maintenue alors dans les bandelettes d'une couverture dont la laine sent le sel). Mina se souvient de l'obscurité et de la faim. La lumière provient du couvercle soulevé et de la main qui plonge vers elle.

La deuxième image, c'est dans l'arrière-salle d'une boutique. Mina ne sait pas encore, au moment d'enregistrer ce souvenir, où elle se trouve. Elle contemple ses pieds meurtris dans des souliers de plastique. Elle remarque que les chairs, à force de baigner dans l'eau, s'émiettent comme celles des noyés. Pour des raisons qu'elle a oubliées, elle s'avance vers une dame inconnue, à qui on la présente. La dame porte une perruque rouge, elle parle russe avec un fort accent français. Elle dit *tchémadane*, elle dit *golosse*, elle dit *jiolti* d'une bouche ridée orange dont les coins tombent en fer à cheval.

Un peu plus tard, Mina se couche entre des draps dont elle ressent encore la texture : une mollesse de sous-bois, le froid de la matière qui sèche à l'ombre, que l'humidité fait suinter. La moisissure a quelque chose de rassurant, avec son odeur de champignon. Mina se trouve dans la chambre d'un hôtel dissimulé dans les replis de la ville et partage sa couche avec Ilona, dont le visage a resurgi en recouvrant sa suave impassibilité. C'est la troisième image qui reste à Mina de cette période, image doublée de la sensation du contact de sa propre paume contre la joue chaude et le nez droit, les paupières aux cils déposés sur les pommettes, de sa mère endormie.

Le reste, ce qui est en dehors du cercle éclairé de ces sensations, a été précipité dans un gouffre ou avalé par une opacité mate, une sorte de trou noir.

D'où lui vient, en revanche, ce souvenir du collier d'abeilles mortes ? Quand la confection de la parure a-t-elle eu lieu ? Peut-être son esprit l'a-t-il fabriquée, du même fil qui lui a servi à se tisser une existence depuis Bora.

La mère et la fille s'installèrent à Marseille, dans cette pension peuplée de créatures qui leur étaient semblables, toutes plus ou moins hantées par le souci de leur invisibilité et par la peur panique d'en être dépouillées. Personne ne connaissait personne, chacun se fondait dans le décor et s'y pétrifiait. Aussi la vie commune dans les couloirs prenait-elle l'aspect feutré et poli d'un rendez-vous toujours repoussé. Personne pourtant n'était dupe.

Mina fut inscrite dans une école, ses cheveux teints et son nom modifié. Ilona prit un travail de couturière. Ce fut le nouvel ordre des choses.

Longtemps encore après leur arrivée, Mina continua de papilloter des yeux pour s'habituer à la lumière, sans cesser d'être blessée par elle et renonçant, fatiguée de lutter, remplie d'une tristesse trop poignante, à s'en accommoder. Longtemps elle garda les yeux fermés, longtemps elle fut incapable de voir.

Mais au bout d'un certain temps (combien depuis les meurtres de la plage ?), Mina s'éveilla, et sortit, encore groggy, du songe qui jusqu'à cet instant lui tenait lieu de jour.

L'événement eut lieu en classe de français, où elle se trouvait sans qu'elle sût en déterminer la durée, à la table d'un collège où elle ne se souvenait pas d'avoir fait sa rentrée. Et ce fut là que la conscience allongea soudain ses rameaux, dans une sorte de terreau tendre de réalité que Mina ne connaissait plus. Ce processus tint lieu du baiser à la princesse des contes de fées.

Tout à coup, Mina comprit la langue qu'on lui parlait, et dont sans doute dans sa léthargie elle avait assimilé les éléments. Elle se surprit à s'émerveiller de ce dévoilement foudroyant. Plus aucune parole, attrapée au vol sur le fil de la vierge, ne lui posait d'énigme. Mina s'agita sur sa chaise, en proie à une excitation qui la faisait danser d'une fesse à l'autre, et tendre son doigt pour réclamer l'attention de son professeur. Quand celui-ci la remarqua, un silence se fit dans la salle. On n'avait pas entendu la voix de cette petite immigrée, jetée à la hâte et livrée sans explication, depuis son arrivée plusieurs mois auparavant. On s'était même alarmé de ses regards sans lumière, de son corps indifférent, beaucoup trop maigre.

L'enseignant pointa vers elle sa baguette. Mina se leva, ouvrit la bouche et sentit affluer du tréfonds de son gosier un bourgeonnement de mots dont elle ne savait pas comment dominer la cavalcade. Un ruisseau de salive se mit à y sourdre. Mina se rassit, un peu honteuse. Le silence se prolongea. Mina, saisie de nouveau par sa pulsion proférattrice, se releva et prononça, sans aucun accent russe, avec même une sorte de gouaille du cru : « Je n'ai rien à dire. Je ne le répéterai pas. »

L'arrachement à Bora et l'installation à Marseille ont été si violents et les blessures sont encore si profondes quelques mois après l'arrivée que passent quasi inaperçues d'autres transformations plus souterraines : l'élancement de la silhouette de Mina, le resserrement de sa taille sur l'axe souple de ses hanches, l'intumescence de ses seins, l'apparition d'une pilosité noire, encore clairsemée mais prometteuse, sur les aisselles ombreuses, sur les replis de son aine, sur ses jambes.

Mina est davantage frappée par le remue-ménage orchestré par son corps durant ses « périodes », le ramdam qu'il se permet en ces occasions, que par le résultat produit. Mina sent l'arrêt de sa croissance physique et mentale. Elle en prend acte sans en aviser qui que ce soit. Surtout pas sa mère.

La ville de Marseille ne correspond pas du tout à la jeune fille, dont l'humeur ne se porte ni à l'agitation ni à la promiscuité. À l'odeur élégante de terre éventée qui parfumait Bora, oscillant entre l'arôme de figue moisie et d'eau de rose industrielle, se substitue le fond encaissé du port méditerranéen, sa criée poissarde, son vent empli de poisson cuit. Mina en parcourt certains dédales pour se rendre au collège, le nez froncé et le regard fixe.

Plus encore que les ruelles ignobles, creusées dans le fossile d'un larmoiement crayeux et peuplées d'histrions, l'école lui paraît un repaire d'âmes disgracieuses. Elle n'a que mépris pour les adolescents qui grouillent autour de cigarettes crapotées et de potins ineptes. S'il faut bien les fréquenter durant les heures de cours, Mina ne se prive pas d'afficher son mépris pour leur ignorance acclamée. Elle maudit les professeurs qui, au lieu de les châtier, les exaucent avec la révérence qu'on devrait réserver à la vérité, à l'effort, au savoir.

Le souvenir adoré d'Aglaia revient en ces occasions. Pourtant, le russe de sa mère lui fait horreur, presque autant que la médiocrité de ses congénères.

Sa haine pour Ilona est intermittente, mais pas moins féroce, elle alterne avec d'irrépressibles phases d'amour qui bouleversent la jeune fille. Devant sa mère, Mina se garde bien d'exhiber le moindre affect négatif. Elle conserve une politesse blanche, trouée d'accès de fantaisie où se manifeste sa tendresse.

Ilona semble épuisée par son nouveau travail et prête peu d'attention aux variations humorales de qui que ce soit. Aussi Mina s'en tient-elle à l'efficacité dans ses rapports avec elle, ainsi qu'à la déférence. Elle cache ses saignements, comme elle cache son ressentiment, elle ne montre que ses notes, excellentes depuis que le langage s'est acquis de lui-même. Plus encore elle s'affaire afin de reproduire, non pas la confiance ce serait impossible, mais la semblance de la gaieté qui prévalait à Bora.

Mina est entrée à douze ans en cinquième, et jusqu'à sa prise de parole aux allures de canonnade impromptue, elle y est restée comme un poids mort. Mais ensuite, la petite a montré des capacités hors du commun. Un peu démuni, le corps professoral l'a poussée en quatrième, où elle a continué à dominer dans toutes les disciplines. Son ennui est patent. Quand un élève l'approche pour l'interroger, Mina s'amuse à lui débiter toutes sortes d'histoires sur son propre compte, si bien qu'en peu de temps la jeune fille acquiert une réputation étrange. Ses camarades de classe ne l'approchent qu'avec crainte. Peut-il être question de sécher ces leçons qui la font périr ? Certainement pas pour l'instant. Ilona l'a prévenue : il s'agit avant tout de se couler dans le décor pour éviter d'attirer sur elles l'attention des sbires de Gleb.

Une année passe. Quelques jours avant de faire son entrée au lycée, Mina ose demander à sa mère de conserver la couleur naturelle de ses cheveux. Elle observe avec ravissement les racines noires qui percent comme une terre au dégel, sous le blond obtenu au peroxyde. Sa taille demeure celle d'une enfant, sa minceur est extrême, mais ses formes s'accusent encore et, même si Mina s'en indigne, deviennent manifestes. Sa beauté, qu'elle paraît bander comme elle le fait de ses seins, frappe par son extraordinaire gravité.

L'argent manque pour les apprêts, Ilona elle-même en souffre. Mal maquillées, mal chaussées, mal vêtues, les deux femmes cherchent surtout à disparaître. C'est-à-dire à ne pas exister aux yeux des hommes.

Le passage en classe de seconde ouvre une nouvelle période. Elle correspond d'abord à un approfondissement de son rapport à la ville.

Afin de se rendre jusqu'à son nouvel établissement, Mina ne peut plus se contenter de marcher, elle doit emprunter les transports en commun, de vieux autobus aux couleurs indéfinissables, mais dont les vitres claires laissent défiler des paysages superbes, non plus fondés sur le modèle de la cuvette, mais de la hauteur propice aux envols. Ce qu'elle voit lui plaît.

Mina n'a jamais envisagé auparavant de cesser d'une quelconque manière l'étrange comédie qu'elle entretient depuis leur arrivée avec sa mère, encore moins de quitter sa proximité. Ne serait-ce que par fidélité au personnage que fut jadis Ilona. Durant les deux dernières années, leur gémellité n'a fait que s'accuser, Mina a accordé un soin obsessionnel à contenter et rassurer sa mère, dont l'équilibre lui paraît précaire.

Ilona ne doit jamais connaître les vraies pensées que sa fille nourrit et ne s'avoue qu'avec honte.

Mina est taraudée par sa haine grandissante, le poison s'est infiltré le jour du massacre des abeilles. Ilona ne doit se douter de rien, elle en serait dévastée.

Et qui sait de quoi cette femme, *une fois dévastée*, serait capable de nouveau ? N'a-t-elle pas montré ce qu'elle devient lorsqu'elle est *dévastée*, n'est-elle pas *dévastée* par le combat qu'elle mène contre Gleb depuis la naissance de Mina ? Même si les doutes croissent, même si le nom de leur bourreau prononcé en chuchotant résonne à présent comme au fond d'une cruche vide, Mina continue de constater l'emprise de son pouvoir fantôme sur leur famille. L'idée que Gleb n'existe plus se greffe cependant. Mina est prête à imaginer qu'il n'ait jamais (sinon existé, du moins) été la Némésis ordonnançant le cours de leurs vies, les contraignant à la pauvreté et à la terreur. Pour la fille endurcie, dont la colère tend à infléchir les raisonnements, une vérité se forge peu à peu.

Les longs trajets en bus sont favorables aux rêveries, tout comme le sont l'éloignement du lycée, les horaires chargés qui font rentrer tard dans la nuit, en d'autres termes tous les éléments qui desserrent peu à peu le quotidien et déroutent les sentiments. Ce qui se tenait tapi a plus de mal à rester en place.

Mina continue d'être déçue par l'enseignement qu'on prétend lui prodiguer avec tant de médiocrité, dans ce lycée pourtant réputé. L'ennui est une constante, où entre aussi une part progressive de mauvaise volonté, et finalement une obstination dans le mépris rarement atteinte chez une jeune fille de son âge.

C'est là où la mue apparaît la plus spectaculaire. Le visage et le corps de Mina, léchés par les marées de la puberté, se sont modifiés en s'enrobant de volumes. Mais l'esprit subit une métamorphose tout aussi radicale.

Mina se met à disparaître. Des salles de classe, d'abord, ce qui est le premier jalon, encore anodin. Puis de manière préoccupante, loin des yeux et de l'influence d'Ilona, durant des périodes chaque fois un peu plus longues et plus terrifiantes pour la mère.

Si Mina disparaît, c'est qu'elle cherche de toutes ses forces à trouver des réponses, dans les seuls endroits où elle puisse en trouver, c'est-à-dire dans les bas-fonds de Marseille. La pègre y parle la langue qu'elle souhaite entendre.

Bientôt les bus ne l'emmènent plus au lycée, mais dans les Quartiers. Elle y traîne seule, sa silhouette trouvant sa posture caractéristique, longs bras enroulés autour de la taille. Durant cette période, elle absorbe ce monde, elle l'éponge de son regard.

Quand elle se sent prête, elle s'installe sur la banquette du fond d'un troquet nommé Pogrebok, « La Caverne », et laisse se déployer la toile projetée des mille vies du lieu. Les âmes y sont d'abord de simples flammes anonymes, courant sans visage, fondues le long des parois. Mais à force d'en contempler la danse opiniâtre, un sens se dessine dans les visages, les allées et venues, les atours, les croisements et les enlacements d'affinités, d'inimitiés, le boléro des habitués et la guinche des clients de passage. La Caverne a pour patronne une énorme Russe aux joues écarlates et aux mouvements de carcasse hydraulique. Son nom est Valentina. Mina l'observe, car elle croit avoir deviné en elle le chas où s'enfilent la plupart des intrigues russes à Marseille. La diaspora mafieuse, par ailleurs, n'y est pas nombreuse, Mina s'en rend compte assez vite ; elle est mâtinée d'influences albanaise et turque, voire perse. C'est un petit groupe et pourtant il a fallu beaucoup de temps à Mina pour en comprendre le fonctionnement, le noyau échappant sans cesse à sa perspicacité.

Malgré sa redoutable intelligence, Mina demeure candide dans son approche. Un peu trop neuve, ravissante, elle sort du lot. Des traces romanesques la polluent encore, des fictions où elle tiendrait la place de l'écrivain-détective. Elle s'imagine par exemple sa propre invisibilité d'observatrice, tandis que sa présence au contraire modifie l'expérience de façon radicale. Elle s'imagine pouvoir déchiffrer les signes qui la mèneront à une résolution, que ces signes vont lui être livrés, comme des clés… En vérité, sa démarche est amoureuse, déjà.

Mina observe en sirotant un café cognac (prononcés *koffié* et *kagniac* par Valentina au service), fume à la chaîne des Marlboro extra-fortes en réprimant une toux nauséeuse. Elle a disposé devant elle un grand cahier où elle consigne, en langue adyguée, ce qu'elle découvre. À ce stade, les règles de prudence qu'elle s'était fixées, notamment vis-à-vis d'Ilona, sont oubliées : que le lycée s'alarme de ses absences, qu'elle-même mente à sa mère et à toutes les instances éducatives qui la reliaient à un certain chemin, son indifférence est assumée. Mina s'est persuadée que la vérité se dévoilera dans la Caverne. Et rien ne pourrait mettre fin à son aventure, en même temps qu'à son illusion. Peut-être, pour la première fois de sa vie, ressent-elle la joie de ne pas tenir compte d'Ilona. Elle se laisse gagner par la confiance, fébrile certes, et sa présence au Pogrebok est désormais remarquée. Valentina s'adresse à elle en russe, comme elle le fait aux habitués. Eux-mêmes la saluent d'un sourcil soulevé, d'une œillade matoise.

Un matin, à son arrivée, elle a la surprise de constater qu'au milieu d'eux, dévoilé et caché par des silhouettes ferventes et affairées, se tient un inconnu. Elle l'identifie comme le dieu véritable, le démon du lieu, dès qu'il fait son apparition. Sa puissante carrure d'homme mûr, sa virilité, rayonnent d'un surcroît indéfinissable. Ses cheveux forment une flamme blonde, éclaboussée d'un gris noble, et ses yeux bleus bordés de très longs cils décolorés ne regardent personne. Les gestes lents président la même liturgie chaque fois qu'il porte à sa bouche un de ces verres à pied que lui prépare la patronne avec la déférence (et sans doute la crainte) d'une servante de cérémonie, chaque fois qu'il fait monter jusqu'à ses yeux la flamme d'une allumette pour en effleurer le bout de sa cigarette Shiraz, chaque fois qu'il époussète d'invisibles impuretés sur son veston de cuir, sur sa chemisette immaculée. L'homme se fait appeler Diadia, « l'Oncle ». Mina sait qu'il la voit. Pourtant, l'homme est longtemps le seul à l'ignorer. Il balade ses yeux mi-clos sur l'assemblée, les coudes repliés sur le comptoir, il n'a pas besoin de commander, chacun s'empresse.

D'ailleurs les clients irréguliers ne se montrent plus, comme si une cour s'était formée, ou reformée, en sa présence et qu'elle excluait les barbares, pour ne plus privilégier que les élus parlant la « langue du maître ». Mina ne s'étonne pas d'être tolérée, même invitée à entrer dans le cercle à l'occasion d'une tournée ou d'une plaisanterie, pas par Diadia bien sûr, mais par les lieutenants du culte, sous son autorité tacite.

Une semaine passe ainsi, pour Mina, à observer du fond de sa banquette l'agencement inédit qu'induit la présence de Diadia. On peut décrire cette période précise comme la plus heureuse depuis son installation forcée à Marseille. Elle correspond pourtant à une phase de durcissement du conflit avec Ilona. Le soir, à la nuit noire, Mina rentre chez elle et rend des comptes absurdes à sa mère désemparée. Celle-ci n'imagine pas encore à quoi Mina passe ses journées, ni où (c'est-à-dire dans la gueule du loup, c'est-à-dire dans celle de Gleb). Elle mise plutôt sur une révolte liée à des amours malheureuses. Sa faiblesse aura été de ne pas voir grandir sa fille, et de s'aveugler sur son propre pouvoir.

Mina est heureuse, pour la dernière fois de sa vie. L'aventure qu'elle vit lui procure une excitation sans précédent. Elle sent l'acceptation d'une population réputée farouche. Pour une fille de quinze ans, cette simple idée est en soi une source de jubilation. L'envers habituel en est l'absence de lucidité.

Plus obscure, il y a la rencontre amoureuse qui est en train de se produire, entre la gamine Mina et le parrain Gleb qu'ici l'on nomme Diadia. Cela commence sans réflexion par un « trait de beauté ». Quelque chose s'est modifié dans l'atmosphère et même dans la disposition de la pièce, qu'un nouvel éclairage redistribue. Mina fait l'expérience d'un corps étranger qui s'allume, resplendit, crépite, devient le seul visible (tandis que tous les autres se grisent, tombent dans l'indifférence). Mina se chauffe et sent crever l'enveloppe ancienne.

Ce que Diadia ressent de son côté prend un caractère plus impénétrable. Et Mina n'en connaîtra le fin mot que bien trop tard. En elle s'assemblent les conditions de son consentement. Aussi, quand au terme des six jours de leur confrontation muette, Diadia la rejoint à sa table, prend sa main et la baise en y posant des lèvres déjà mille fois embrassées en rêve, Mina se laisse entraîner sans retour.

Le soir, elle ne rentre pas chez Ilona, elle est à vingt mille lieues de là, recevant nue et ouverte les caresses de son amant sur un lit de fortune de l'étage supérieur du bar, destiné aux ébats des prostituées. Elle découvre sur les bras nus de Gleb le signe de la tulipe, qu'elle porte à sa bouche avec dévotion.

Il faudra trois jours entiers à Ilona pour entrer à son tour dans la Caverne. Entre-temps, le voile de l'absence de Mina s'est déchiré. En désertant, Mina a convoqué l'Ilona vengeresse. Mais il est déjà trop tard. Les réflexes ont beau resurgir, intacts, des limbes où ils étaient consignés (la violence est un langage qui ne s'oublie jamais), le mal est fait. Sa fille est polluée. Elle a reçu l'entaille.

Ilona se tient d'abord sur le seuil, balaye du regard et scanne les présents. Il est 6 h 30 du matin, c'est l'ouverture. Valentina essuie des verres. Deux hommes en vareuse discutent avec elle, ils n'ont pas l'air d'avoir dormi. Ilona tend son bras, le PSM tire deux fois, pleine tête, les hommes s'écroulent. Valentina réprime un cri, recule sans lâcher le verre.

— *Chto*...

— Où est Gleb ? Où est ma fille ?

Ilona tire dans le miroir derrière la patronne. La glace explose, des éclats blessent Valentina dont l'arcade sourcilière saigne.

— Ils ne sont pas là !

Ilona s'approche, marche sur les flaques de sang et les bouts de verre, les corps disloqués. Valentina couine de terreur. Ilona tend le bras.

— Ils sont à Londres ! Je n'y peux rien, ne me tuez pas... Gleb l'a emmenée à Londres, c'est là qu'il les amène toutes, toutes celles qu'il veut mater... Vous ne la retrouverez jamais.

3

La maison de la rue Thiers se dresse en arrière-plan, éclairée par un lampadaire tuberculeux, crachotant des filaments chargés de jaune et de rouge. Mina regarde le sol un instant, en laissant la fumée qui sort de sa bouche l'envelopper d'un voile, puis relève la tête. L'haleine enroulée à ses cheveux la vêt d'un casque éphémère.

Ilona écrase sa cigarette du bout de sa botte. Elle s'apprête à répondre à la question que lui a posée Mina sur les abeilles : elle s'avance en saisissant l'ourlet de sa jupe, de ses deux doigts croisés. Puis elle approche de la clarté, elle y plonge sa face vieillie. Mina sourit, épuisée, et contemple le visage de sa mère qui est entré dans la lumière.

Ilona jure qu'elle n'y est pour rien, que les ruches ont été attaquées longtemps auparavant, qu'elle ne se souvient pas des ruches de Bora, que les seules ruches dont elle se souvienne sont celles de Kostroma, que Mina n'a pas pu connaître. Elle secoue la tête : pour elle les ruches du Caucase n'ont jamais existé. Et évidemment, elle n'a jamais empoisonné de ruches.

— C'est un souvenir inventé, Mina chérie. Je t'ai raconté l'histoire des ruches de mon enfance, et tu te l'es appropriée. Quand j'étais petite, les abeilles de nos ruches sont mortes, toutes, d'un seul coup, sans aucune explication. Avec ma sœur Séraphina, nous en avons fait des colliers... Il y en avait des centaines, cela débordait du seau... Tu confonds avec mes souvenirs à moi, chérie. Ce ne sont pas les tiens.

Mina recule d'un pas. Elle porte les mains à ses oreilles. Son corps tout entier bat une mesure absurde, qui grince, se troue, s'interrompt.

— *Poïdiom, Pochli.* Tu te tais, *maltchi pojaliousta,* une bonne fois, et on y va. Je ne peux plus te supporter... Je n'ai plus la patience pour ça. Pour tes mensonges, pour ta violence...

Elle a hélé sa mère d'un geste brusque. Son bras reste perpendiculaire à son torse, dans le prolongement de l'épaule droite. Mina n'a pas besoin de regarder pour connaître les traits d'Ilona en cet instant. Et aussitôt, le chagrin de l'avoir blessée déverse son poison. Pourtant, Mina continue :

— *Poïdiom, Matka. Pochli,* ou tu préfères qu'on reste ici, *v dojd i v khlolodie*, hein ? *Matka* ! Ça fait longtemps que je pense que nous sommes damnées. Tant que nous serons ensemble, nous sommes vouées à nous blesser, à nous détruire. Alors *maltchi*, ce que tu dis me révulse, parce que ça prouve que tu es folle, et que je suis folle moi aussi, de te suivre encore et toujours. Je sais très bien ce que j'ai vu, les abeilles, leurs cadavres... Et toi, je t'ai vue. À Bora tu as arraché l'oreille d'un homme, et à coups de hache, tu l'as découpé... À Londres, tu as... massacré... tellement, tellement... Et chaque fois tu enclenches le pire... Qu'est-ce qui nous attend là-dedans (elle pointe vers la maison son doigt transparent) ? Je vais te le dire : je vais être délivrée de toi. Délivrée de ton spectre, délivrée de tes fantômes.

Mina a perdu son souffle, mais elle reprend, un peu de bave logée aux coins des lèvres :

— Un jour, je ne sais pas combien de temps s'était écoulé depuis mon arrivée à Londres... Un an peut-être, Ilonka, un an passé enchaînée à un lit... Alors tu es venue pour me chercher. Si tu savais comme j'ai redouté ce moment. Si tu avais idée de ma terreur... Je t'ai entendue du fond de ma chambre, j'étais couchée. Je me souviens qu'on venait de me nourrir. Le plateau avec les aliments, les couverts, la cruche qui reposait sur le dessus de la petite commode, se sont mis à vibrer. D'abord tout doucement, car tu étais encore loin. Mais tu te rapprochais, ton nez fouisseur me traquait, au fond de ma tanière, tu m'as reniflée et tu n'as laissé personne t'empêcher de parvenir au but que tu t'étais fixé. Les cris ont commencé à me parvenir. Des cris d'animaux, si terribles, maman, *Matka*... Il y a eu des coups de feu. La cruche est tombée, elle s'est brisée. Et puis j'ai entendu ta voix. Tu m'as dit « Mina, écarte-toi », et j'ai su que tu allais tirer sur le loquet. Et j'ai voulu me jeter sur la porte, je te le jure, pour que ta balle me transperce... Pour que tu me permettes de partir sans toi... Pour arrêter de te suivre... Pour que ça s'arrête enfin...

Ilona la fixe, le visage toujours saisi dans l'étau jaune de la lumière, les yeux exorbités. Elle recule à son tour, sa face quitte la lumière. Elle replace son foulard, et dans le même temps elle se recompose. Dans la pénombre, sa beauté resurgit, comme un deuxième visage caché dans la doublure d'un autre. Elle dit, avec une colère croissante :

— Ce qui doit être fait, tu le sais bien, n'a pas d'échappatoire. On doit vivre, ce n'est pas une option parmi d'autres. Ce que tu appelles tes rêves, moi j'appelle ça l'opium, l'héroïne, toutes les saloperies dont ils t'ont gavée là-bas... Oh, mais j'oubliais, ton opium à toi s'appelle Gleb. Gleb le magnifique ! Gleb est ton tortionnaire, ne l'oublie pas, comme il a été le mien ! Au lieu de m'interroger sur les foutues abeilles de Bora, tu pourrais plutôt te demander ce qui est advenu de moi après ta fuite. Toute mon existence était vouée à te protéger de lui. À Bora, il nous a débusquées, il a envoyé ses sbires. Tu as vu ce qu'ils m'ont fait, et ce qu'il m'a fallu pour les anéantir. Je l'ai fait pour toi ! À Marseille, nous étions en sécurité, jusqu'à ce que tu décides de te jeter dans la gueule de nos ennemis. La Caverne ! Autant poser ta tête sur le billot et inviter le bourreau !

Ilona explose :

— Quand j'ai su que Gleb t'avait emportée, comme un agneau au fond des bois, est-ce que tu as imaginé ma détresse ? Est-ce que tu as pensé une seconde que tu me tuais en le suivant ? Pendant un an je t'ai cherchée, Mina, avec l'énergie d'une louve, torturée par la culpabilité. Londres m'était complètement étrangère, c'était un labyrinthe et il a fallu que j'en déjoue tous les pièges pour te retrouver. Je ne pouvais pas me tourner vers les Russes sans attirer l'attention de Gleb, je me suis donc débrouillée autrement. Sans argent, sans appui, avec mon seul amour pour guide. Mon amour pour toi, Mina…

Ilona cherche à calmer un peu son souffle.

— C'est un hasard qui m'a permis de te retrouver, finalement. Tandis que j'errais dans le froid de Southwark, j'ai trouvé par terre un mégot de Shiraz. Je n'ai jamais compris pourquoi les hommes de Gleb appréciaient autant cette merde. Ça les a trahis. Ensuite, je n'ai fait que remonter la piste qui me menait au bordel, et à toi. Tu dis que tu aurais voulu mourir le jour où je suis arrivée pour te sauver. Mais tu étais déjà morte, Mina. Tu veux que je te rappelle ton corps livide, les blessures aux poignets et aux chevilles, le sang sur tes draps... ? Gleb m'a enlevé ma petite fille, mon joyau, mon trésor, et il m'a rendu une putain folle de douleur.

Ilona fait une pause, elle reprend avec douceur.

— Oui je les ai tous tués, tous sauf un. J'ai fait couler le sang, et ce sang reste entre nous. Je le sais. C'est ce sang qui déborde entre nous, pas les abeilles mortes...

Ilona se tait, il y a un silence.

Puis Mina murmure :

— Ce soir, je vais revoir Gleb, et peut-être... peut-être m'emmènera-t-il loin de toi. Peut-être voudra-t-il encore de moi... L'enfant nous lie...

Ilona s'avance.

— Ce soir nous reverrons Gleb et nous négocierons une trêve. Je te promets qu'il n'y aura pas de sang versé. Cette trêve, je suis prête à tout pour te la donner. Ma chérie... Je t'en prie... Tu ne peux pas partir avec lui. Tu sais ce qu'il t'a fait. Il continuera si tu te livres à lui de nouveau.

— Oh, *Matka*... Pardonne-moi...

Les deux femmes s'enlacent.

4

Ilona se tient à peine protégée du grand vent, debout dans la tranchée de béton noir creusée devant les fenêtres de la maison, côté jardin. Mina l'accompagne, invisible dans la pénombre. Les deux femmes ont convenu qu'Ilona descendrait la première, par l'ouverture du sous-sol. La porte d'entrée est clouée de planches, inaccessible. Gleb a-t-il voulu ce parcours d'obstacles ? Que cherche-t-il en les forçant à emprunter ce chemin ?

Ilona s'accroupit devant la glace ébréchée et plante le faisceau de sa lampe électrique vers les ténèbres qui semblent remplir le sous-sol d'une couche crémeuse de lait noir. Le rayon fatigue dès le premier cercle et écorche l'obscurité d'un crépitement. Ilona renonce à comprendre l'agencement de la pièce, elle ne distingue même pas la matière du plancher et surtout, elle ne discerne pas les points de jonction du sol et des murs, leurs arêtes semblent effacées. La pièce a l'air d'une boîte tendue de velours, comme l'intérieur soyeux du chapeau d'un magicien. Soulevant ses jupes un peu au-dessus du genou, elle engage sa botte droite sur la rambarde, en prenant soin d'éviter les éclats tranchants du verre. Puis, elle passe la gauche et reste ainsi quelques instants, assise au bord du vide. Elle scrute, depuis sa position. Le matériau, qu'elle a d'abord cru lisse, lui paraît à présent grené.

— On dirait du foin... sur le sol. De la paille ?... *Salomenka*, c'est une porcherie. On n'y voit rien. Il y a quelque chose par terre. Peut-être des vêtements.

Ilona se tourne à demi et jette un regard vers Mina. Elle enregistre l'image de sa fille, en contre-plongée : l'amas brillant de la chevelure, le noir vernissé de son mouvement, la laque de la lune, le visage masqué par le foulard, les bras enroulés sur la taille. Ilona se détourne et saute.

Elle atterrit en douceur. Aussitôt Ilona sent sous la semelle de ses bottes les protubérances molles dont elle a observé les ombres. De sa main droite, elle braque la lampe. Elle tarde un peu à s'écrier, en un murmure forcé :

— Mina ! Ce sont des vêtements. Il y en a partout... des centaines... *Povsioudou*... *Gospodi*... Il y en a au moins...

Ilona hésite. À perte de vue, le sol est jonché de pelures maculées d'une substance qui pourrait être de la boue, peut-être mêlée d'excréments. Une fuite l'alimente en eau, se mélange à la terre, c'est la seule explication possible. Mais Ilona n'en distingue pas la source. Tous les haillons en sont enduits. L'odeur est celle de la glèbe fermentée, un fond de rose et d'œuf décomposé.

Ilona fait un tour sur elle-même. Elle se penche, s'accroupit même, elle fouille de deux doigts, la main gauche ausculte. Ce sont des robes, des manteaux, des bas de femmes. Un vestiaire entier s'est déversé, jadis plein de couleurs et à présent livré à la corruption. Ilona se relève. Ses bottes tachées jusqu'aux chevilles piétinent le cloaque, en ramenant sous leurs talons la pourriture. Ses tempes sont mouillées de sueur et leur duvet se fonce, prend une teinte d'or terni, presque noir.

— Mina ?

Il n'y a rien d'autre dans la pièce. Ilona s'aperçoit à quel point elle est immense.

Les souterrains de Chukhloma n'étaient pas plus immenses. Ni plus indéchiffrables.

— Mina ?

Ilona arme son PSM. Attend dans la pénombre. Elle souffle encore le nom de sa fille. Tout se bouscule dans son esprit. Pourquoi Mina ne lui répond-elle pas ? À qui appartenaient ces vêtements ? De quel théâtre sont-ils sortis ?

Ilona se retourne vers l'intérieur de la maison. Elle voudrait se hâter vers les escaliers qui montent à l'étage, dont elle entrevoit la rampe cassant le mur du fond. Au lieu de cela, elle demeure prostrée. Elle bredouille encore le nom de Mina, en vain. Mina a disparu.

Il ne reste plus rien que ces débris d'une guerre passée, l'odeur de poudre et de merde qui flotte après les combats, l'épouvante risible, et la solitude qui l'étreint à présent.

Ilona s'approche des escaliers, le faisceau de la lampe lui taille un chemin. Au bout de son bras gauche, tremble son revolver. Elle traverse la pièce et pose son pied sur la première marche. Saute en s'accrochant à la rambarde par-dessus les deux suivantes, que la moisissure a emportées. Elle parvient à l'étage. La pénombre est moins dense. Ilona murmure une prière en découvrant la disposition du palier. Les marches l'ont menée à une salle, d'une dimension plus réduite que le sous-sol.

Ilona continue de brandir son pistolet soviétique, elle avance sans maîtriser ses tremblements, ni les autres manifestations de sa terreur, la sueur qui ruisselle, la poussière sale qu'elle aimante, les muscles raidis. Le silence se peuple des martèlements de son cœur. Elle doit trouver la sortie.

Elle perçoit un frôlement, une silhouette s'éloignant.

— Mina ?... Gleb ?

Elle tombe, se relève avec les craquements d'os d'une vieillarde. La pièce où elle se trouve, où elle a avancé malgré elle en tombant, est une ancienne salle de réception. Au plafond, à la place du lustre qu'on a fait pendre autrefois, se nouent des guirlandes de poissons morts, de plumes d'oiseaux et de crânes minuscules. Au beau milieu du parquet, les reliques d'une combustion. Dans les cendres, une main d'enfant que les flammes n'ont pas calcinée.

Ilona recule.

Elle se retourne, se frotte les paupières. En jetant à nouveau un regard vers le feu de camp, elle comprend qu'elle a inventé la main. D'ailleurs elle a tout halluciné, il n'y a ni poissons ni crânes. Un fou rire lui vient, puis elle sent qu'elle s'évanouit et s'écroule sur le plancher.

Ilona se réveille à plat ventre, la joue droite cassée contre un plancher noir. Aussitôt, elle se redresse et cherche son PSM. L'obscurité est épaisse. Où se trouve-t-elle ? Des images décousues lui reviennent. La main de l'enfant dans le feu éteint, couverte par la cendre, les filins suspendus et les créatures qui y flottent tels d'horribles drapeaux signalétiques. Les vêtements éparpillés et maculés de boue, dans le sous-sol où elle s'est lancée. Sa jupe en toile déployée comme un parachute, éclaboussée par la mort. Combien de temps s'est-il écoulé ?

Ses épaules tremblent. Elle croit entendre un rire derrière la cloison. Elle se relève.

Elle retrouve la grande salle, y fait quelques pas, puis perçoit des voix provenant de l'étage. De nouveau, des rires étouffés et des cris soudains, étranges. Il y a aussi une voix mâle, indistincte. Ce doit être celle de Gleb. Ilona voudrait se hâter, mais elle progresse au rythme des rêves. Elle est maintenant au bord des marches. Elle lève son PSM à hauteur d'épaule. Puis elle commence l'ascension.

Ilona remonte chacune des marches, en enfonçant ses bottes dans les lattes vermoulues de l'escalier. En haut, elle s'engage dans le couloir qui mène aux chambres. Elle y trouve des vestiges de plusieurs repas ; des assiettes souillées s'empilent à même le sol.

Ilona en conclut que Gleb n'est pas seul. Qu'il est arrivé dans les lieux quelques jours auparavant et qu'il a établi son campement de fortune à l'étage, sans doute avec l'enfant. Il peut s'agir aussi d'un tueur à sa solde. Un réchaud, des boîtes de conserve vides, remplies de mégots de cigarettes Shiraz, des ustensiles de cuisine, un petit sac de voyage, continuent de semer des indices. Ilona ne désarme pas. Elle tient toujours son PSM au bout de son poing. Elle connaît les ruses de Gleb, elle s'attend au pire.

Elle pousse la porte de la première chambre, du canon de son arme. Sa terreur est de voir apparaître le Gleb splendide, tout-puissant, celui qui a fait vœu de lui dévorer le cœur pour la punir de lui échapper.

Or celui qu'elle retrouve, en haut de ces escaliers, dans la chambre où il est étendu, est un vieillard. Ilona s'en aperçoit dès qu'elle entre dans la pièce. Elle baisse son arme. Elle n'en croit pas ses yeux.

Gleb est sale, sa barbe trop longue est hirsute, ses cheveux sont gras. Même son corps, qu'on devine à peine sous les draps, paraît horriblement maigre. Il est allongé sur un lit de fortune, entouré d'un duvet. Est-il seul ? Ilona s'avance.

— Où est Mina ?

Gleb se redresse à demi. Il fixe Ilona avec un air hagard, presque un regard d'enfant incrédule.

— Tu es là, enfin, Ilona ! Je suis content de te voir. Je savais que tu viendrais toi aussi. Que tu ne pourrais pas t'en empêcher…

Un petit rire le secoue, suivi d'une quinte.

— Laisse-moi te regarder. Tu es toujours magnifique, tu sais ?

Gleb, en parlant, découvre des gencives noires. Ses dents ont disparu, elles ont été fracassées. Par qui ? Ilona s'en doute. Un rival plus fort, plus jeune, a déposé le roi, renversé le règne de Gleb et l'a réduit à la plus extrême misère. Chassé de ses terres, forcé à prendre la route, Gleb n'est plus qu'un mendiant, tout comme elles deux. Même la tulipe, autrefois si menaçante tatouée sur l'avant-bras, s'est fripée pitoyablement.

— Tu regardes ma vilaine figure, Ilona ? J'ai changé tu trouves, toi aussi ? Ah ! Que veux-tu ? Les temps sont durs pour les esthètes, pour ceux qui savent aimer. Ma splendeur est passée...

Ilona le coupe.

— Où est Mina ? Réponds-moi ! Que fais-tu ici, pourquoi voulais-tu la revoir ? Tu n'es pas seul, qui est avec toi ? Est-ce que c'est l'enfant ?

Gleb se remet à rire, en passant ses doigts sales dans sa chevelure, puis il saisit une cigarette qu'il allume avec des allumettes Egigant.

— Eh bien, eh bien. Tu n'as pas l'air d'humeur à bavarder. Pourtant il y aurait tant à dire... Viens près de moi. Tu vois bien que je suis inoffensif à présent. À la vérité, Ilonka, je suis un homme mort.

Ilona le fixe, et elle comprend que Gleb ne ment pas. Elle s'approche, insensiblement. Un bruit se fait entendre derrière la cloison. Ilona sursaute.

— Où sommes-nous ? Pourquoi ici ?

Gleb conserve tant bien que mal un ton de petit-maître. Mais chaque parole est douloureuse.

— Tu n'aimes pas ma nouvelle maison ? C'est la plus convenable que j'aie trouvée dans la région... C'est une ancienne maison de passe, abandonnée depuis des lustres, un vieux bordel. Mais tu vas rire, cette bicoque est ce que j'ai connu de mieux depuis des mois. On est bien loin des palais que je t'offrais, n'est-ce pas Ilona ?

Gleb sourit de nouveau, étirant l'ombre sinistre de sa bouche.

— Je vous ai suivies, après Londres (je t'en ai voulu, Ilonka, m'arracher mon bien de cette manière, tu m'as tout pris, absolument tout : mon amour, mon honneur et tous les hommes qui m'étaient dévoués), mais j'ai perdu votre trace. Je savais que Mina et toi étiez en France, il m'a suffi de remonter le fil de mes contacts (j'en ai encore quelques-uns, même s'ils m'ont coûté cher). Bref. Je me suis installé ici, mais cette maison délabrée ne convient pas à ma compagne de voyage.

— Est-ce que… je peux la voir ?

Gleb plisse les yeux, se redresse lentement. Il pousse un râle et Mina, sortant de la pièce attenante, vient vers lui, portant un bébé dans ses bras maigres.

L'enfant est endormi. De longues boucles blondes encadrent son visage sale, griffé de traînées grisâtres. De longs cils noirs reposent sur ses pommettes. Mina est trop faible pour porter le bébé plus longtemps. Elle le tend à Ilona qui le saisit, paralysée d'émotion.

Mina, accablée, s'est assise au bord du lit où se tient Gleb. Son corps brisé ne peut plus se soutenir. Elle serre Gleb, qui lui caresse doucement les cheveux.

— Qu'est-ce que tu veux de nous, Gleb ? demande Ilona.

— Je voulais vous remettre l'enfant. C'est chose faite, la petite est à vous. Je l'ai appelée *Agon*, mais vous aimerez sans doute lui donner un nom plus adéquat. Pour moi, elle était *Agoniok. Agoniotchka*. Cependant, il n'est plus temps de garder cet enfant. Je vais mourir. D'abord je suis cancéreux, mes cellules sont empoisonnées. Ensuite, les luttes pour la survie de mon clan m'ont achevé, humilié. Regarde-moi Ilonka, ils m'ont même cassé les dents ! Je n'avais gardé l'enfant que comme... monnaie. Mais il n'est plus temps. Je vous la rends.

Gleb s'interrompt pour cracher un liquide noir, son torse creusé s'agite d'une toux profonde. Il reprend.

— Ce n'est pas tout. Je vous ai retrouvées pour vous demander quelque chose d'important, quelque chose qui va vous surprendre.

Il plante les doigts dans sa barbe et la tord avec des gestes fatigués de pope, si loin de ses manières anciennes, absolument sensuelles.

— Je voudrais que vous m'aidiez à mourir. Je voudrais, oui, je souhaite mourir de vos mains. Je souhaite que ma mort me vienne de vous, que je n'ai jamais cessé d'aimer. À qui d'autres pourrais-je demander cette faveur ? Avec qui ai-je jamais partagé intimité plus parfaite ? Oui, je suis venu vous supplier de me tuer.

Un long silence s'installe. La nuit bretonne souffle au-dehors et sa toile se déploie en toute indifférence. Mina a basculé, étendue au côté de Gleb. Elle l'entoure de ses bras, respire son odeur. Elle pleure, en embrassant son visage défiguré, couvert de crasse : « Mon amour, mon amour... Je ne veux pas te quitter encore... Je pars avec toi... mon amour... » Elle enlace sa hideur malade.

Tout à coup Ilona sent l'enfant s'éveiller dans ses bras. Ilona lui jette un regard, contemple ses sourcils empourprés, ses doigts qui crochètent dans le vide, tout comme ceux de Mina en leur temps.

— Que dis-tu d'*Eva* ? *Eva* est un prénom adéquat, souffle-t-elle à l'enfant qui lui rend un regard bleu du ciel.

Ilona sourit. Puis elle se retourne vers le lit. L'attendent les deux amants, soudés, taillés dans la même pierre. Mina coule un dernier regard à sa mère. Un regard d'adieu. Puis elle enfouit son visage dans la chevelure pétrifiée de Gleb.

Avant leur mort, Ilona les oint et prononce pour eux le sceau du don de l'Esprit saint. Il n'y a aucune icône sur place, mais Ilona prie le Canon que lui a appris son père. Ensuite, elle les étouffe, tous les deux. Enfin, elle les enterre ensemble, dans le jardin de cette maison maudite.

Quand tout est fini, Ilona et Eva rentrent dans leur propre maison. Cette nuit-là Ilona devient Baba et ce rôle sera le sien jusqu'à la fin de sa vie.

5

Sacha, au comble de la gêne, recula pour laisser passer les nouveaux venus. Eva d'abord, puis le prêtre. La pluie continuait et le ciel tourmenté par la tempête se maquillait de rose. Une fluorescence abracadabrante, qu'on aurait dite peinte sur une toile rococo. Sacha lança un regard à la dérobée en direction d'Eva. La peau nue de sa gorge, sortant de son manteau, était moirée de sueur et ses joues enflammées assorties à ses lèvres lui conféraient l'apparence d'une poupée. Sacha la trouva belle, pour la première fois depuis *Le Prince*.

Eva entra dans la chambre de sa grand-mère en frissonnant. Le prêtre, de son côté, semblait attendre qu'on l'invite. Il faisait les cent pas dans le vestibule, avec la patience de celui dont la délicatesse a l'habitude d'être peu considérée. Sacha s'approcha pour lui serrer la main et apprit son nom : Siméon Gnonlonfoun ou, « plus adéquatement », Père Siméon. Eva manifestait une agitation extrême, rôdant autour du lit avec des gestes désordonnés, dont la seule vertu semblait être de libérer sa tristesse. Les deux hommes se tournèrent vers elle et l'observèrent en silence pendant quelques instants.

Tout à coup, Siméon saisit les épaules d'Eva et l'accompagna jusqu'au petit fauteuil. Eva se laissa faire. Elle offrit à Siméon le spectacle de son visage chaviré, que le désarroi labourait jusqu'aux terres enfouies de l'enfance. Aussi, s'agenouillant près d'elle, lui parla-t-il comme à une enfant, de la voix magique que prennent les grandes personnes quand il s'agit d'apaiser un chagrin. La docilité d'Eva, soulignée par des clignements d'yeux répétés d'où tombaient de grosses larmes, attendrit Siméon. Il recula, par pudeur, et tourna la tête vers le lit.

La femme qu'Eva appelait Baba était couchée sur les draps, et malgré la longue habitude que Siméon avait des corps meurtris, asséchés, qu'il accompagnait aux portes de la mort, il ne put s'empêcher d'éprouver une répulsion particulière face à sa dégradation. Comme si la vieillesse de cette femme avait quelque chose d'obscène. Siméon observa, tout en s'approchant, les membres squelettiques et surtout le masque du visage, déformé d'une grimace de Polichinelle.

Siméon se mordit la lèvre. Il ne croyait plus du tout en Dieu, mais il comprit qu'il ne s'en tirerait pas sans une prière. Le cas de Baba exigerait de surmonter la puissante aversion qu'il sentait poindre en lui et que ses formateurs, au Vatican, lui avaient décrit comme une tentation satanique. Certaines conditions pouvaient mener le prêtre officiant en confesseur à renier son pouvoir de compassion. Siméon se raccrocha à cet avertissement et se mit à se méfier de lui-même. Certes, il lui faudrait embrasser la souffrance de Baba, lui offrir ce que lui-même ne possédait pas. Il ne fit plus de doute, dès cet instant, que la confession serait une fois encore un combat contre lui-même.

Tandis que Siméon transportait sa mallette vers la chaise qui touchait le lit, Sacha fit quelques pas pour rejoindre Eva toujours assise dans le fauteuil. Celle-ci tremblait, emmitouflée dans son long manteau. Sacha murmura :

— Je vais vous laisser. Il est temps pour moi de disparaître je crois. Votre grand-mère est prête pour son... (Sacha ne trouva pas le mot approprié) voyage.

Eva s'enflamma soudainement.

— Ne partez pas ! C'est moi qui vous ai demandé de venir. Vous n'avez pas eu mon message ? J'ai besoin de vous voir... Je ferai ce que vous voudrez. Je jouerai pour vous, je... vous aimerai, ne me laissez pas seule maintenant.

Elle saisit la main de Sacha et se mit à l'embrasser. Sacha s'accroupit près du fauteuil et ne lâcha pas la main.

Siméon s'assit auprès de la vieille femme, qui gémissait les yeux fermés. Il plaça l'étole autour de son cou, puis se cala sur la chaise de manière à ce que son buste penché frôle le drap, et que sa joue, son oreille offrent la plus grande proximité à la bouche de la vieille femme. Il attendit un petit moment, plié contre elle, à guetter un souffle sur lequel se régler. Il ne lui restait plus qu'à attendre. Or Ilona ne donnait pas de signes d'éveil, et soudain gêné de sa posture solennelle prise trop tôt, Siméon ressentit une sorte de honte.

Il demeura ainsi, espérant qu'Eva ne se rendrait pas compte de sa balourdise. En vérité, il se sentait ému, maladroit. Pour passer le temps, il balança un bras habile au fond de son sac et y pêcha sa bible. Les pages s'ouvrirent au début du récit du prophète Osée, et Siméon s'y plongea durant un long moment. Ce n'était pas tout à fait un hasard, d'ailleurs, car le livre avait pris le pli des nombreuses relectures que Siméon avait faites de ce passage. Il sentait bien souvent le tourmenter quelque chose appartenant au destin d'Osée. Lui aussi s'attachait à une femme impure. L'Église était sa femme impure. Siméon s'absorba un long moment dans cette réflexion. Impure oui. Impure et belle à se damner.

Ilona eut un rictus dans son sommeil et se mit à rire, trois notes cristallines carambolèrent et craquèrent avant de disparaître, comme l'arrachement d'une touffe d'herbe gelée. D'ailleurs, sa longue chevelure paraissait blanchie par le givre, poudrée et neigeuse, et s'étendait de part et d'autre de ses épaules nues.

Siméon tenta de sourire à son tour et fut fasciné par la transformation de cette chair, sous ses yeux, en un autre visage. La peau d'Ilona, transfigurée par la joie puisée dans le rêve qu'elle laissait affleurer, révéla soudain une image ignorée, résurgeant en même temps que le rire. Les lèvres dessoudées, quittant la rigidité du cadavre (si scandaleuse), se mirent à expulser des mots aussi brefs et croquants que des noyaux de cerise, des mots que l'oreille tendue par Siméon reconnut pour du russe, à la fois éraillé et transparent, un russe conservé dans des glaces et dégelé par l'approche de la mort. Les sons sortirent peu à peu en guirlandes sifflantes, imitant un vent de montagne, et la bouche prononça des paroles que Siméon enregistrait, mais ne comprenait pas.

Siméon eut un mouvement d'effroi et tourna ses regards vers Eva en quête d'assentiment. Celle-ci, enfoncée dans le fauteuil, caressait Sacha d'un geste sensuel et tendre. Siméon crut remarquer que le garçon tremblait. Eva, elle, rendait ses regards au prêtre, sans aucun cillement, mais les yeux remplis de larmes. Siméon retourna à sa position.

Que disait-elle ? Les yeux toujours fermés, paupières minérales, la vieille femme lançait un appel. La voix traduisait tantôt l'épuisement (celui d'une chèvre perdue dans les escarpements), tantôt une fraîcheur de source.

Siméon se concentra et finit par attraper quelques bribes. Baba récitait une fable, ou un poème. Elle évoquait une enfance. La sienne ? Le visage se modelait à mesure, exprimant le potelé, le chiffonnement des premiers âges. Mais se percevait une matière plus complexe encore. Sans doute Siméon avait-il déjà assisté à de pareilles régressions. Au moment de mourir, c'était une réaction bien connue, de replonger dans des plis oubliés, de les ressusciter au sens littéral. Dans le cas de cette femme, la métamorphose était plus mouvante, et les sillons contenaient tous les âges. Elle prononça le nom *Séraphina*, l'appelant *ptchelita* (« petite abeille ») et sourit en l'accueillant au cœur de son rêve.

Baba se remit à rire, puis ouvrit les yeux. Durant quelques instants elle conserva une pose d'étonnement puis, dès qu'elle prit conscience du visage noir penché sur elle, fixa avec horreur le prêtre, tandis que son bonheur semblait fuir.

Griazni tchiornii, tchiort…

Siméon recula. Avait-il rêvé ? L'avait-elle insulté ? Étaient-ce bien ces mots qu'elle avait formés ? Il ressentit la piqûre d'un venin qu'il connaissait pour en avoir souvent goûté le trait, à Leningrad. L'outrage le mordait au cœur, autant qu'en sa jeunesse, et il lutta contre la tentation d'abandonner la vieille à sa mort ridicule et de sortir par où il était entré. D'autant plus que la posture d'Eva, ce qu'il comprenait (du coin de l'œil) de son enlacement avec ce jeune homme, faisait brasiller une jalousie tout à fait neuve chez lui. Pourquoi s'imposait-il de soutenir ce gril absurde ? Il s'apprêta à se lever.

Mais tout à coup, le prêtre fut surpris par le contact de la main d'Ilona sur son étole, une main translucide, trouée de tavelures d'un roux foncé, une main de noyée que Siméon chercha à saisir. Baba se laissa faire. Le contact en était toute faiblesse et toute grâce, celle (se dit-il) d'une martyre ou d'une femme perdue. Siméon décida de rester.

Il s'adressa à elle en russe, ce qui stupéfia la vieille dame. De nouveau leurs regards se croisèrent et Siméon crut encore atteindre un territoire inconnu.

— Madame, je suis le Père Siméon, je vais écouter votre confession, ainsi vous serez prête à être reçue par Notre-Seigneur, dans l'autre monde.

Siméon prononça ces paroles avec tact et douceur, retrouvés en même temps que cette main l'avait agrippé. Il n'osa pas cependant se pencher sur le corps. Les instants passés dans cette pièce l'avaient d'abord tendu comme avant un orage, mais à présent il se sentait soulagé, la conscience de sa fonction lui revenait.

L'échange débuta, en langue russe donc, une langue que ni Sacha ni Eva n'étaient capables de comprendre. Ils eurent l'impression d'assister à une scène de théâtre, éclairée doucement par les jours du store poudrant le décor de la chambre.

Siméon fut surpris de l'agilité d'esprit qui restait à la vieille femme, quand elle s'exprimait dans sa langue. Elle prit la parole avec un aplomb qui d'abord le confondit. Ses yeux étaient clos et s'ouvraient par intermittence comme un éventail.

Elle souriait, en prenant l'air d'une femme qu'on réveille par amour, un dimanche matin.

— Alors c'est toi qui vas faire ça ? C'est toi mon confesseur ? J'ai attendu toute ma vie de pouvoir me délivrer de mes secrets, sans oser. La vérité, c'est que je ne faisais pas confiance aux catholiques. Tu sais, moi, je suis orthodoxe. Une orthodoxe de Kostroma. Mon père était pope, un genre de pope du moins. J'aurais voulu que tu le connaisses. C'était un homme bon, tout comme toi. Devant lui, le mal sortait de son repaire. Mais pour toi aussi, je le sens, tout est grâce. N'est-ce pas que tout est grâce ?

Siméon acquiesça.

— J'ai attendu si longtemps et maintenant j'ai peur, peut-être vais-je oublier, m'embrouiller, me donner le beau rôle. Tu verras, j'ai laissé le livre pour la suite. Il faudra quelqu'un pour le traduire, moi je n'ai pas voulu faire cet effort. Je ne suis pas paresseuse. Mais ça faisait trop mal.

Il y eut un silence.

— Tu as appris le russe ? Tu parles ma langue alors. C'est beau que ce soit à toi que je dise tout ça, après tout ce temps. Donne-moi ta main. Plus que ça. Donne-la-moi vraiment. Approche-toi encore.

Siméon avança son visage au plus près de celui d'Ilona. Il tremblait.

— Oui tu es un homme bon. Tout est grâce, tu as raison. Je voudrais te parler de mes péchés.

M'en délester avant de partir. Il paraît que ça vous rassure, vous, les catholiques, de partir comme ça. Je vous comprends. Je pourrais te confesser d'abord mes crimes, si tu veux. Mais ce n'est pas l'important, je l'ai compris trop tard dans ma vie. J'ai foncé dans le vice, tête baissée, comme une innocente. J'ai trop aimé mon père et j'ai haï ma mère. J'ai tué beaucoup de gens. Beaucoup. Il y a la liste dans le livre, tu verras. Je suis tombée amoureuse du pire proxénète, de la pire crapule du Soviétisme, et tu sais comme moi que l'URSS n'en manquait pas. J'ai joué à l'amour comme aucune autre femme, et puis j'ai tenté de quitter Gleb... J'ai fui jusqu'à ce qu'il me retrouve... nous retrouve...

Baba se perdit un long moment dans ses pensées. Siméon ajusta son col, il était confronté à un cas de figure totalement inusité. L'énumération des péchés était désinvolte et en même temps chacun d'eux était parfaitement mortel. Siméon fronça les sourcils et continua d'écouter. La vieille femme dut sentir son appréhension :

— Ça ne veut rien dire tout ça. Ces mots, ces situations, ces personnages, ce sont des fantômes. Rien que des fantômes. Tu le sais toi, au fond, n'est-ce pas ?

Siméon hocha la tête.

— Ce que je veux confesser, vraiment confesser, ce qui me survivra comme ma plus grande faute, c'est à Eva que je devrais le dire. Mon

Eva... Ma petite fille, toute petite Eva. Mais elle ne me comprendra pas, elle ne peut pas me comprendre. Quand tu sauras tout, et que je ne serai plus là, tu lui expliqueras. Peux-tu me le promettre ?

Siméon accentua sa pression sur la paume d'Ilona.

— Alors je commence...

TABLE

Cet ouvrage a été imprimé en France
par CPI
pour le compte des Éditions Grasset
en juin 2017

Mise en pages PCA
44400 Rezé

Grasset s'engage pour l'environnement en réduisant l'empreinte carbone de ses livres. Celle de cet exemplaire est de :
750 g éq. CO_2
Rendez-vous sur www.grasset-durable.fr

N° d'édition : 19974 - N° d'impression : 141955
Dépôt légal : août 2017